Españoles al Sur del Paralelo 17º NE

LUIS TORRES PÍÑAR

Editorial Alvi Books, Ltd.

Realización Gráfica:
© José Antonio Alías García
Copyright Registry: 2310155593097

Created in United States of America.
© Luis Torres Píñar, Vilanova i la Geltrú (Barcelona) España, 2023

Producción:
Natàlia Viñas Ferrándiz

Editorial Alvi Books agradece cualquier sugerencia por parte de sus lectores para mejorar sus publicaciones en la dirección editorial@alvibooks.com

Maquetado en Tabarnia, España (CE)
para marcas distribuidoras registradas.

www.alvibooks.com

Tipo de obra: Narrativa histórica

Autor del libro: © Luis Torres Píñar

Autora Marca de agua: © Mª Teresa Latorre Solá. Dibujo pintado con colores de agua del Gallo vietnamita, signo al que pertenece el «dedicado» —según calendario lunar.

Imagen de portada: Bahía de Turón. Tomada de la: Biblioteca Digital Hispánica. Autor: Dalrymple, Alexander (1737-1808) Grabador: Harrison, Willianm [London0]: Published according to Act of Parliament by A. Dalrymple Publicación:[Madrid] Publicación: [vendese en casa de Francisco Laso, mercader de libros, frente a las gradas de San Felipe]Publicación: En Madrid Publicación: por Iulian de Paredes. Signatura: MR/6/I SERIE 53/13.

N.A: En imagen se ha incluido una estrella de ocho puntas sobre el sello de la Biblioteca Digital Hispánica.

Contraportada: Montaje e imagen de Mª Teresa Latorre Solá

Dedicado a:

Luom..., ese incansable luchador al que el azar le arrebató sus primeros –casi– cuatro años de vida hasta que la bondad de; Elisabet y Jordi pusieron fin, brindándole una oportunidad de la que ningún ser humano debiera nacer jamás privado.

Índice

Introito

El presente relato tiene por objeto recordar esa parte de la historia de por... allá en las antípodas de nuestro continente que no es muy conocida, menos aun departida en las aulas, para hodierna transmitirla y preservarla de la nesciencia demasiado extendida.

España ha formado parte de la cultura y el desarrollo de Vietnam —antiguamente— Cochinchina, desde el siglo XVII, principalmente en su papel evangelizador comprometido por todo el mundo conocido desde el siglo XV con Roma, el que restaba por descubrir y en su denuedo... civilizar.

Transcurridos unos cuantos siglos —ya en el siglo XX— por una serie de compromisos políticos entre España y Norteamérica tras la finalización de la II Guerra Mundial que obligaba en materia de defensa a las dos naciones, el general Francisco Franco, decidió auxiliar con el envío de médicos y enfermeros militares voluntarios que quisieran ir al frente bélico en Asia. Así es como después de unos años de ausencia, España regresó a Vietnam, significando la primera misión del ejército español con carácter humanitario en las vidas de los vietnamitas.

Hoy siglo XXI, lo hacemos prohijando a aquellos párvulos que por alguna razón han sido renunciados por sus padres biológicos, ofreciéndoles esa oportunidad que la vida injustamente les ha negado en sus primeros meses o años de vida.

Desde aquí, a todas esas familias el reconocimiento que merecen a su entrega altruista en beneficio de unas adorables criaturas.

Infinitas gracias a todos vosotros.

El Autor

1ª Parte

La Unión Ibérica

Tras la expedición de Fernando de Magallanes en el año 1519, bajo bandera española siendo Rey de España el joven Carlos I, se dio reconocimiento en el año 1522 a Juan Sebastián Elcano[1], como el primer marino español y del mundo conocido, en circundar la Tierra y sus océanos.

Posteriormente, fueron muchas las expediciones que se sucedieron por los océanos Índico y Pacífico respectivamente, organizando nuevas rutas denominadas de las «especias», colonizando los reinos de España y Portugal gran parte de los nuevos territorios que iban descubriendo, sometiendo a sus nativos a la disciplina y doctrina imperialista.

Los españoles han estado presentes en el sudeste asiático desde que en el año 1565 llegó a la isla de Cebú en el archipiélago de las Bisayas, una expedición al mando de Miguel López de Legazpi acompañado por el fraile agustino Andrés de Urdaneta. La conquista del archipiélago que luego sería conocido como; Islas Filipinas —en honor al rey Felipe II—, fue relativamente rápida. Pronto los españoles dirigieron su atención hacia China, Indochina y las islas de las Especias.

Sin embargo, Asia no era América y la expansión en esa parte del continente se vio frenada principalmente, por encontrarse en una parte del globo terráqueo con su propia idiosincrasia, acumulada desde sus orígenes de más de dos millones de años según queda evidenciado por los restos arqueológicos hallados junto con la presencia de homínidos. Por otro lado en Europa eran tiempos política y militarmente convulsos que precisaban destinar los limitados recursos a otros teatros de operaciones.

---

1 Tras la muerte de Magallanes, fue el capitán que terminó la circunvalación entrando en Sanlúcar de Barrameda el día 6 de septiembre del año 1522.

Tras el fallecimiento del rey Enrique I de Portugal (1578-1580) sin dejar descendencia y no haber nombrado el Consejo de Regencia un heredero, se originó una crisis sucesoria haciéndose cargo del gobierno una junta formada por varios nobles de la Corte portuguesa. En el mes de junio del año 1580 el hijo bastardo y nieto de Manuel I, Antonio de Portugal y prior de Crato, era el candidato preferido por aclamación popular del pueblo llano portugués y una parte del clero menos representativo, pero no así por los regentes que preferían al rey Felipe II de España, hijo de Carlos I e Isabel de Portugal.

Antonio de Portugal intentó afirmarse en el trono no cediendo a las pretensiones de Felipe II, autoproclamándose Rey de Portugal el día 20 de junio del año 1580.

Felipe II Rey de España sabiéndose apoyado por los regentes portugueses, no dudó en mandar el mes de agosto del año 1580 al duque de Alba; don Fernando Álvarez de Toledo y Pimentel al frente de un considerable ejército de los tercios españoles que enfrentándose en la batalla de Alcántara (Lisboa - Portugal) el 25 de ese mismo mes, venció sin encontrar gran resistencia por parte portuguesa que se replegaron hacia Lisboa.

De esta forma el rey Felipe II de España «el Prudente», fue coronado el 25 de marzo del año 1581 como Felipe I de Portugal.

Ilustración 1 Retrato de Felipe II (DP)

Durante el periodo comprendido entre los años de 1581–1640, para de alguna manera unificar las colonias de España y Portugal allende los mares comprendiendo su dominio en tierras de los continentes americano y asiático, se conformó la Unión Ibérica[2] unificándose ambos reinos bajo la dinastía de los Habsburgo (Casa de Austria)

La presencia de España (Unión Ibérica) en Cochinchina se consolidó contando con el deseo e interés de los propios pobladores antes que ningún otro reino y/o potencia extranjera. Conviene recordar que en el año 1596 el fraile dominico; Diego Francisco de Aduarte llevó al imperio anamita el Evangelio desplazándose desde Manila.

En el año 1645 la expedición española —ya independiente de la Unión Ibérica—, representando al cristianismo escoltada por una compañía del ejército español al mando de un capitán, fueron recibidos por el emperador de Annam; Lê Chân Tông perteneciente a la Dinastía Lê, con toda su Corte presente y cuatro mil soldados anamitas rindiendo debido homenaje, incluyendo suntuosos actos de Estado.

---

2 Si se desconocen los motivos de esta «unidad», consultar la historia sobre la inclusión de Portugal en la Monarquía Católica.

Ilustración 2 Pendón Real de Felipe II- Unión Ibérica licencia de
http://creativecommons.org

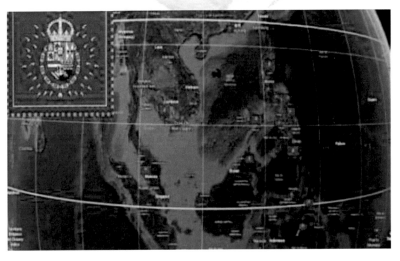

Ilustración 3 Territorios de la Unión Ibérica en Asia

19

2ª Parte

España y Francia en el
Imperio de Annam

Mucha tinta se imprimió sobre papel para juzgar el protagonismo realizado en la guerra de Cochinchina y el pacto final entre Annam y Francia con el «supuesto» desprestigio del reino español al sellarse la paz y el reparto del territorio con el imperio de Annam sin contar con la presencia, acuerdo y firma de representantes españoles.

Tras haber leído —entre otros— los manuscritos[3] de algunos militares presentes en la contienda militar, entiendo y así lo relato, que el papel de España y sus bizarros soldados fue del todo honroso y sujeto al más estricto cumplimiento del deber evitando la pérdida de más vidas humanas para el único lucro del poderío industrial, económico, el posicionamiento e interés político del gobierno y oposición de la época con el menoscabo de la fuerza militar que actuó en un territorio en el que los oriundos contaban con toda la ventaja y el pleno conocimiento del complicado terreno selvático.

Sus pobladores eran gentes sencillas, no por ello exentos de cultura y menos aún de sentimientos, ávidos en mantener sus —para nosotros— extrañas costumbres, dedicados al cultivo de los terrenos y mantener sus granjas para alimentar a las familias sin más lazos religiosos que la veneración a sus ancestros.

La muerte de decenas de nuestros soldados por la egocentrista postura de «escarmentar» a los «infieles» que no aceptaban el cristianismo como dogma de fe alentados por su emperador, no justificaba los desenfrenados intereses económicos del reino de

---

3,- Cuestión de Cochinchina de Serafín Olave; Cochinchina y el Tonkín de Augusto Llacayo; Reseña histórica de la Expedición de Cochinchina de Carlos Palanca Gutiérrez.

Francia por reforzar su posición en el imperio de Annam[4] y ampliar el comercio con China, verdadero interés de Napoleón III.

La presencia de nuestros soldados españoles en Annam desplazados en Filipinas era «responder» el cruel asesinato de unos misioneros, ejecutados por aquellos fieles de la Corte del emperador Tự Đức —por otra parte nunca presente en la vanguardia de la lucha— y no hacer la guerra al imperio anamita sembrando la semilla de las viejas costumbres europeístas, industrializando y colonizando por medio de la fuerza, destruyendo la cultura de sus pobladores nativos y sus sencillas formas de vida.

Desde el siglo XVII, los misioneros católicos se vieron envueltos en los enfrentamientos y a partir del siglo XIX además, en sucesos políticos que sacudieron la región, ya que actuaban como mediadores e incluso como representantes de las facciones enfrentadas. En el año 1857 la posibilidad que un cristiano de origen anamita; Pedro Phùng de la dinastía Lê, pretendiera aspirar al trono de Annam, supuso el preludio de una nueva guerra civil que culminó con el asesinato del obispo José María Díaz Sanjurjo al que le continuó el de su sucesor fray Melchor García San Pedro y otros muchos que llenarían varias páginas, todo ello como paradigma de lo que continuaría sucediendo en el caso de insistir en la cristianización del imperio de Annam.

Las ansias de Napoleón III y del reino de Inglaterra, no justificaban que los españoles participaran en la colonización del imperio anamita. Desde que se inició la campaña en el año 1858 hasta que culminó en Gò-Kông, la intervención de los españoles fue tan honrosa para el buen nombre del ejército, como infecunda para el reino.

4,- El significado de Annam: «Sur Pacificado», derivado de An Nam.

La consecuencia de estos crueles asesinatos fue que el emperador de Francia Napoleón III planificara una intervención militar en Annam para lo que le era imprescindible; la colaboración de España solicitando a la reina Isabel II que se involucrara militarmente con el envío de las tropas desplazadas en Filipinas al reino anamita, para someterles a aceptar el imperialismo, principalmente franco y en menor amplitud español.

La primera medida fue enviar una firme protesta a través de una misión diplomática con el almirante Rigault como representante de Francia a la corte de Annam ubicada en Huê, donde se encontraba el emperador Tự Đức, mostrándose con gran indiferencia y continuada postura anticristiana y criminal contra los misioneros.

Ante la inamovible negativa del emperador, los reinos de España y Francia decidieron la intervención militar conjunta en el imperio de Annam.

Ilustración 4 Retrato de Napoleón III Bonaparte

Ilustración 5 Emperador Tu Dúc. Fuente
https://www.flickr.com/photos/13476480@n07/50035988788

Desde Luis XVI, Francia tenía valiosos intereses para aferrarse en Annam e incrementar su presencia y dominio, que se vieron refortalecidos tras firmarse el convenio de Huê en el año 1867 y adicionar con la apertura de tres nuevos puertos en el año 1873, que junto con la cesión de la bahía del Sông Sài Gòn se veía ampliado el comercio del imperio francés[5] en la denominada «Cochinchina francesa».

La presencia de España en el territorio, más que comercial era principalmente evangelizadora viéndose menguada por su complejidad y difícil integración, además su concurrencia en Filipinas ofrecía al reino un gran control marítimo en la zona. No obstante la afrenta que supusieron los crímenes cometidos y continuados por los anamitas a nuestros misioneros debía ser contestada, además estaba el compromiso de proteger el culto católico en el Tunquin[6,] donde más de doscientos mil anamitas se habían bautizado, pero cómo no, la preponderancia patria obligaba a una demostración de fuerza.

El reverendo Padre fray Manuel de Rivas expresa muy bien en su libro[7] el sentido de la presencia española desde el inicio en aquellas lejanas tierras por ende de los representantes cristianos del reino en el imperio anamita de los misioneros de la Orden de los Predicadores, cuando dice:

-      … *Deseaba yo entonces, no que el Tunquin y Cochinchina fuesen objeto de la conquista de alguna nación europea, pues esto a mi ver no era lícito, sino que de algún modo se pusiese coto y freno a la arbitrariedad del Soberano de aquellos infortunados países, que contra la razón y las leyes naturales derramaba la sangre inocente de sus mejores vasallos y de tantos varones*

5,- En realidad la verdadera intención de la misión militar por parte francesa.

6,- Tonkín, históricamente conocido en Vietnam como Đàng Ngoài.

Apostólicos de la Europa que cumpliendo un precepto del Salvador, acudían a evangelizar a sus súbditos en el reino de los Cielos[8].

La campaña militar franco-española se emprendió sin la necesaria firma de convenio alguno donde se reflejaran las bases y condiciones de los respectivos reinos, cuestión que veremos, supuso una gran desventaja para los intereses de España y una merecida, pero con una importante carga demagógica crítica de la oposición política, que transcendió a la opinión de la ciudadanía con total falta de información veraz, primando más la opinión interesada que el reconocimiento final.

El 31 de agosto del año 1858, las tropas españolas compuestas por unos mil setecientos efectivos en su mayoría tagalos[9,] al mando del coronel Bernardo Ruiz del Valle Lanzarote, se embarcaba en Manila (Filipinas) a bordo de los vapores franceses Dordogne y Durance, que junto con el cañonero español Elcano, hicieron la travesía con rumbo a la bahía de Touranne (Đà Nẵng), distante a unas setecientas millas náuticas, posteriormente fueron enviados otros tantos buques de pabellón mayoritariamente francés.

7,- Idea del Imperio de Annam o de los reino unidos de Tunquin y Cochinchina.
[8] Transcripción literal.
9.Dicho de un pueblo indígena de Filipinas, de origen malayo, que habita en el centro de la isla de Luzón y en algunas otras islas inmediatas (RAE)

Ilustración 6 Vapor Manila. Fuente
https://www.flickr.com/photos/13476480@n07/50035988788

Ilustración 7 Cañonero de la Armada Española «Elcano»
https://envisitadecortesia.com/2020/01/25/el-largo-viaje-del-canonero-elcano/

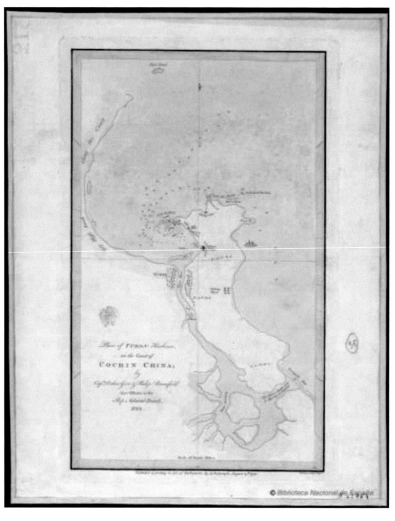

Ilustración 8 Bahía de Tourance Biblioteca Digital Hispánica Published according to Act of Parliament by A. Dalrymple

Ambas representaciones militares quedaron a las ordenes del almirante francés; Pierre Louis Charles Rigault de Genouilly. Ya hemos relacionado a Rigault, con la negociación previa al inicio de las hostilidades armadas, durante la campaña fue ascendido a vicealmirante con equivalencia de Mariscal[10] de Francia y sustituido por el almirante Page.

Sería demagógico suponer que fuera una negociación fácil, defender la implantación de un país extranjero con el nativo, no lo es. Pero tanto Francia como España tenían una posición longeva en el territorio con unos beneficios para el Imperio Anamita que debieran haber posibilitado alguna oportunidad, quizá el negociador no puso demasiado interés en defender la paz, pensando en otros espurios intereses patrióticos.

A principios del mes de septiembre las naves francesas alcanzaron en primer lugar la bahía del Tourane (Đà Nẵng) en la costa del mar de China. El vapor Elcano se incorporó más tarde por haber tenido serios problemas mecánicos en el último tramo de la singladura, debiendo navegar las últimas millas con las velas desplegadas. No por ello faltaron a su cita prestando gran apoyo al intenso bombardeo que desde los buques se lanzó sobre las fortificaciones nativas, siendo abandonadas por sus defensores al entrar en pánico ante el poderío demostrado por la fuerza atacante.

Ya desembarcado el contingente franco-español, el almirante Rigault ordenó la toma de las diferentes fortalezas, quedando asombrado al descubrir el enorme despliegue de baterías defensivas de las que estaban dotadas, no daba explicación a la casi nula defensa que los anamitas hicieron de la bahía. El almirante tomó la decisión de establecerse en el terreno creando

---

10,- En Francia el cargo de Mariscal, equivale a una dignidad de Estado.

zonas de enfermería, una capilla y reconstruyendo los desperfectos ocasionados durante el bombardeo de su arribada.

Ilustración 9 Almirante Chrales Rigault de Genouilly
http://data.bnf.fr/ark:/12148/cb11660048k

A juicio del coronel español; Serafín Olave Díez, la decisión del almirante Rigault de no aprovechar el lance ocasionado con la sorpresa y el impactante pánico que ocasionó en el enemigo el bombardeo del inicio de la campaña, que hubiera permitido el rápido avance de las tropas hacia la toma de Hué, entonces capital del imperio —hoy declarado Patrimonio de la Humanidad.

Ilustración 10 Coronel Serafín Olave Díez
http://www.enciclopedianavarra.com/wp-
content/uploads/10537.gen13404001.jpg

El coronel experto militar y estratega, opinaba que el propósito de una invasión —cualquiera— es alcanzar lo antes posible el objetivo, lo contrario es ceder terreno al invadido en su beneficio. La logística de reconstruir las fortalezas de defensa para liderar la posición en la bahía, significaba un retraso en la consecución del objetivo de la misión, además la pérdida de vidas entre los soldados principalmente franceses, por la falta de resiliencia comenzaba a ser un problema serio, el agotamiento, cólera, picaduras de serpientes, paludismo, malaria, sin olvidar las temidas hormigas rojas y otras circunstancias a las que los soldados españoles acostumbrados al clima y enfermedades y ser en su mayoría tagalos, estaban menos expuestos que los franceses. A todo ello se sumaba la abundancia de alimentos mal cocidos provenientes del mar y contaminados, así como el agua para uso humano que se encontraba poco potabilizada originaron más bajas entre los soldados franceses por gastroenteritis que las que hubieran costado la toma de la capital —a su juicio.

Hay que tener en cuenta que desplazarse hasta la capital Huê por el interior, suponía no solo luchar contra los guerrilleros hostiles, los pantanos y la jungla fieles aliados naturales de los nativos que conocían perfectamente cada palmo del terreno, suponían obstáculos incluso de mayor dificultad que confrontar en el cuerpo a cuerpo. El desplazamiento por los numerosos cauces fluviales contaba con innumerables barreras formadas con juncos que dificultaban el avance. La penetración por mar ofrecía mayor dificultad orográfica si cabe, debido a barreras naturales con ensenadas que exponían a los soldados franco-españoles al fuego enemigo, sin apenas poder ampararse en un terreno plano que les dejaba expuestos ante las baterías enemigas.

Seguramente todo ello hizo recapacitar al almirante Rigault, pero algo así debiera haber sido planificado con anterioridad al desembarco y eso es lo que llevó a pensar en el mando español una grave falta de previsión creando desconcierto sobre el criterio que llevó a la superioridad al conceder el mando único en el almirante Rigault.

Finalmente entre los días 9 y 16 de febrero del año 1859, la ofensiva franco-española desembarcó desde su lugar de fondeo en el cabo Santiago en la bahía de Saigón y ascendieron por el río Soài, hasta la misma ciudadela fortificada de la ciudad de Hồ Chi Minh (Saigón) La tropa franco-española iba encabezada por una compañía al mando del comandante Carlos Palanca Gutiérrez, tomando la ciudad finalmente el día diecisiete. La lucha fue muy sanguinolenta, ya que no había tiempo para recargar los fusiles antes de ser contraatacados en el cuerpo a cuerpo, ordenando el mando; ¡«calar bayonetas»!

Ilustración 11 Lámina de carbón reflejando la toma de Saigón en Febrero de 1859.
https://www.lavanguardia.com/historiayvida/historia-
contemporanea/20190601/47312495843/vietnam-de-la-descolonizacion-a-la-guerra.html

Una vez tomada la ciudadela, el nuevo almirante francés al mando de la fuerza aliada; François Page, ordenó la total destrucción de la fortificación por razones tácticas[11] y la construcción de una nueva donde poder guarecer a la tropa y reforzar la posición.

A partir de este momento se dejó ver el oscuro chovinismo del imperio francés. El almirante Page ordenó la retirada de las tropas españolas no acantonadas en Saigón, sin previa consulta ni tan siquiera recibir la orden de replegarse, la compañía mandada por el comandante español Palanca a pesar de sus protestas, tuvo que obedecer y retirar el contingente español sin más explicación que asimilar el sentimiento de haber sido utilizados para la gloria y negocio del reino de Francia..., «le Grandeur».

El 5 de junio de 1862, se puso fin a la guerra con la firma de un primer tratado de paz entre Francia y el emperador Tự Đức, sin la participación española. Vietnam cedía la soberanía de la ciudad de Saigón, en la que se estableció la capital de la Cochinchina francesa, además el archipiélago de Côn Đảo y las provincias de Biên Hòa, Gia Dinh y Dinh Tuong, a Francia

España renunció finalmente en favor de Francia en el año 1922 a la pequeña porción de terreno en Ho Chi Minh, que tuvo a bien «cederse» a España. Sobre esta devolución, entrega, dádiva o lo que fuera que fuese el insólito acto, lo cierto es que no existen documentos que acrediten la entrega más allá del continuado abandono del territorio desde el final de la I guerra de Indochina. La situación política que vivía España en esos tiempos, no era la más placentera, no en vano coincide con el último Gobierno del reinado de Alfonso XIII, antes de que Primo de Rivera se hiciera con la Jefatura del Estado, pero Manuel García Prieto, no dejó

---

[11] Tras descubrir el enorme arsenal entre piezas de artillería, casi cien mil kilos de pólvora, más de veinte mil fusiles de «chispa» y una considerable cantidad de francos franceses en efectivo.

testimonio escrito del motivo, cantidad o prebenda que España recibiera por abandonar Saigón.

Ya ha transcurrido tiempo suficiente y por ello llegado el momento de renunciar al complejo patrio que de forma inconcebible se apodera generalmente de los políticos españoles cuando se trata de valorar nuestro papel y/o posicionamiento frente a aquel que en su beneficio nos utiliza, desprestigia, minusvalora hasta el punto del escarnio y todo por no levantar la voz.

España obtuvo algunos derechos comerciales y el objetivo de su intervención en Annam; que el emperador Tự Đức permitiera la libertad religiosa para los anamitas convertidos y su libre ejercicio. Una vez se retornó el contingente español a Filipinas, el Emperador inició nuevamente la persecución religiosa ante la pasividad de los franceses.

El leedor debe recordar que la misión militar franco-española se llevó a cabo sin la firma de convenio regulador alguno que llegado el momento reconociera a las partes su recompensa. Hemos visto también que por parte española primaba el castigo por los asesinatos de sus misioneros y terminar con la implementación evangelizadora de Cochinchina, pero de ahí a pasar ante la historia como una fuerza meramente auxiliar del imperio francés dista mucho de la realidad. Por ello en España, se recriminó el papel representativo del gobierno del general Leopoldo O´Donnell.

La indemnización económica que se acordó y abonó el imperio Anamita fue de cuatro millones de dólares, que dicho sea de paso el gobierno de España tuvo que mendigar su parte a Francia, que fue la receptora de la totalidad. Una pequeña porción de terreno equivalente a unos cuatro mil metros cuadrados en Bach Tung Diep, fue todo el territorio del que España dispuso en suelo anamita hasta su cesión a Francia en el año 1922, tampoco obtuvo el reconocimiento de ningún puerto comercial.

Sin embargo, algún beneficio si obtuvo el reino de España, de la mano de Francia llegó España a formar parte del Consejo de las Grandes Naciones de Europa a pesar de la fuerte oposición inglesa pero viniendo de los franceses, nada es gratis, de esta forma se aseguraba un aliado más.

También pasa desapercibido pero sin duda de suma importancia fue la participación española en la construcción del canal de Suez, obra del arquitecto francés Fedinand Lesseps, con la participación de los arquitectos españoles; Eduardo Saavedra Moragas; Cipriano Segundo Montesino Estrada y una vez terminado el canal, España estuvo presente con la fragata Berenguela, gobernada por el comandante Alejandro Arias Salgado.

En el plano comercial cabe destacar que la apertura de los puertos de Annam al comercio español favoreció la exportación de aguardientes, vinos, tabacos y otros artículos de consumo en el territorio producidos en Filipinas.

Seguramente los intereses de la oposición política del momento junto con la objetividad siempre crítica de la prensa hicieron que este pasaje de nuestra historia en tierras lejanas no dejara la huella merecida. No todo fueron menosprecios, pero sí hubo falta de interés por parte del gobierno español en hacer valer el sacrificio de muchas vidas de soldados de origen filipino, vestidos con uniforme del ejército español representando al reino de España.

En la costa oriental del actual Vietnam, quedaron enterrados los soldados españoles y franceses caídos en la guerra, en el cementerio ubicado en Đà Nẵng.

Ilustración 12 Lápida recordatorio de caídos en la 1ª expedición
https://saenzsotogrande.blogspot.com/2021/08/el-olvidado-cementerio-espanol-en.html

3ª Parte

La Guerra de Indochina
(1946 – 1954)

Tan solo para conocimiento del leedor.

España no estuvo presente en esta guerra conocida como «Primera guerra de Indochina», recordemos que en el año 1922, se cedió a Francia la pequeña porción de terreno con la que tuvieron la «indulgencia» de reconocer la colaboración en el pasado siglo los franceses, por lo que no existían intereses directos que defender y más, teniendo en cuenta la situación sociopolítica que se vivía en España tras la Guerra Civil junto con los reflujos de la Segunda Guerra Mundial.

No obstante este escribidor hace mención a la acción bélica entre Francia y Vietnam —como principales actores—, por significar la antesala de lo que una vez finalizada ésta confrontación se desencadenaría años después, momento en el que... sí, España mandó una representación humanitaria a la zona.

El colonialismo europeo en esta parte de Asia, se puede decir que terminó su expansión como tal a principios del siglo XX. Reino Unido y Francia, se repartían el dominio y el comercio como si de un territorio propio se tratara, olvidando que estaban colonizando unas tierras, unos imperios poblados por una antiquísima cultura completamente diferente a la europea y que nada tenía que ver con la dominación del continente americano, donde ahí sí, el colonialismo europeo fue aceptado por los indígenas a base de imponerse por la fuerza de las armas, los malos «usos», la sumisión y acatamiento.

En esa parte de Asia los emperadores —hay que decirlo—, generalmente eran sátrapas que se imponían con toscos dogmas y la cultura propia oriental muy heterogénea pero que nada compartía con la cultura de la parte occidental del continente euroasiático.

El final de la guerra de Indochina, en el que estaban involucrados además de; Francia y el Viêt Minh[12], los aliados de uno y otro bando entre los que figuraban EE.UU., y Francia con Vietnam Sur y China con Vietnam Norte. El punto crítico de inflexión; conseguir la total independencia de la entonces dominante Indochina Francesa.

12.- El Viet Minh, forma abreviada de Việt Nam Độc Lập Đồng Minh Hội, se formó en una conferencia celebrada en mayo de 1941, como alianza entre el Partido Comunista Indochino y grupos nacionalistas, con el fin de conseguir independizarse de Francia.

Finalmente Francia fue derrotada en la batalla de Diên Biên Phù entre los días 6 y 7 de mayo del año 1954, dándose paso a los «Acuerdos de Ginebra», alcanzando los siguientes compromisos:

Acuerdos de Ginebra sobre indochina 1954[13]

- Acuerdo sobre el cese de acciones bélicas en Vietnam.

- Acuerdo sobre el cese de acciones bélicas en Laos.

- Acuerdo sobre el cese de acciones bélicas en Camboya.

- Declaración del gobierno de Laos sobre los derechos de la población y las elecciones.

- Declaración del gobierno de Laos sobre las alianzas militares, las bases militares extranjeras y la ayuda militar.

- Declaración del gobierno de Camboya sobre los derechos de la población y las elecciones.

- Declaración del gobierno de Camboya sobre las alianzas militares, las bases militares extranjeras y la ayuda militar.

- Declaración del gobierno de Francia sobre la evacuación de las tropas francesas de los territorios de los tres Estados indochinos.

- Declaración del gobierno de Francia sobre el respeto de la independencia y la soberanía de los tres Estados indochinos.

- Declaración del representante de los EE.UU., que expresa la actitud de su gobierno con respecto a los acuerdos de Ginebra.

---

[13] https://www.dipublico.org/glossary/acuerdos-de-ginebra-sobre-indochina-1954/ Nota existen correcciones anotadas por el autor que se pueden cotejar con el enlace previo a esta «nota».

- Declaración Final de la Conferencia de Ginebra sobre el restablecimiento de la paz en Indochina con la participación de los representantes de los reinos de; Camboya, Laos, República Democrática del Vietnam, Vietnam del Sur, República Popular China, Francia, EE.UU., y URSS; esta declaración tenía fuerza legal de tratado interno e integraba los diferentes acuerdos y declaraciones parciales.

- Acuerdo concerniente a las relaciones económicas y culturales entre la República Democrática de Vietnam y Francia, establecido en forma de intercambio de cartas entre el viceprimer ministro Phạm Văn Đồng y el primer ministro francés; Pierre Mendès France.

Ilustración 13 Mesa de los acuerdos de Ginebra 1954. D.P.

El referéndum recogido en los Acuerdos de Ginebra, no fue respetado por ninguno de los bandos siguiendo intereses opuestos cada uno de ellos, lo que por otra parte es la norma —lo digo porque es lo que parece, los acuerdos son meros escritos redactados para ser incumplidos—. Los del norte con el denominado Viêt Minh controlado por Hô Chi Minh bajo principios e idealismo comunistas, el resultado final fue del 98,9% a favor de la implementación de la República Democrática de Vietnam, cuando en realidad toda la campaña realizada fue contraria a depositar el voto y para ello se envió a la policía para amedrentar y evitar que los votantes depositaran el sufragio en las urnas. Mientras el Sur estaba liderado por el emperador Bảo Đại, auto exiliado en Francia durante la mayor parte de su vida que promovía una monarquía y el republicano Diêm, quien ya había hecho público su deseo de no verse atado por el tratado de Ginebra por no contemplar los intereses del pueblo vietnamita y ser partidario de un régimen republicano. Los resultados oficiales de las urnas dieron un resultado dudoso como se desprende del escrutinio en la ciudad de Saigón, donde había un censo de votantes de unos 400.000 ciudadanos y se contabilizaron más de 600.000 papeletas con un 90% a favor de Diêm. Así se implementó en el Sur, la República de Vietnam.

Se puede afirmar sin riesgo de errar, que los resultados en cada uno de los Vietnam, (N y S) fue el dictado por su líder.

Estados Unidos que estaba vigilante ante el avance del comunismo importado desde China, terminó afirmando que el resultado arrojado por las urnas en Vietnam del Sur; *era el deseado por sus votantes, habiéndose desarrollado las elecciones con la más «estricta» observancia de las reglas democráticas[14].*

«… en política, hay momentos en los que se reconoce como animal doméstico a la Jirafa…»

Esto derivó que a partir del día uno de noviembre del año 1955, surgieran movimientos civiles de guerrilleros integrados por monjes budistas y campesinos conformando más tarde, lo que se denominó como; Frente de Liberación Nacional (FLN) Así dio comienzo un conflicto armado conocido como la Segunda Guerra de Indochina que duró veinte años (1955–1975), cuyo objetivo era la reunificación de Vietnam.

Los del Norte contaban como aliados a China y la Unión Soviética a los que se agregaron como aliados los residentes en el Sur, conocidos como «Viêt Công», denominación con la que los calificó el general de Inteligencia estadounidense Edward Lansdale, viniendo a referirse a su ideología favorable al comunismo y así se terminó apelando a todos los componentes del bando enemigo.

Los Estados Unidos, entraron en guerra finalmente con el grueso de su fuerza militar en el mes de marzo del año 1965.

14.- Una vez más la utilización de la palabra democracia se utiliza generalmente cuando se quiere dar cobertura a una necesidad y/o interés, aunque éste nada tenga que ver con la realidad, incluso, en casos como los históricamente sucedidos y aquí narrados.

4ª Parte

Los convenios de 1954 entre España y EE.UU.

Tras el final de la Segunda Guerra Mundial, España fue sometida a un severo aislamiento internacional, objeto —entre otras— de una «declaración tripartita» en la que se decía:

...los gobiernos de Francia, Reino Unido y de los EE.UU., tras cambiar impresiones respecto del actual Gobierno español, acuerdan que; en tanto éste régimen subsistiera, el pueblo español no podía aspirar a una plena y cordial asociación con nuestras naciones y declaran a España y a su régimen fuera de la legalidad internacional, quedando excluido de cualquier adopción de medidas que pudieran contribuir a mejorar y resolver sus problemas económicos.

La situación geoestratégica que favorecía a los intereses norteamericanos, puso a España en la óptica internacional que veía la expansión del comunismo por Europa con gran inquietud. El apogeo de la denominada «Guerra Fría» obligaba a los Estados Unidos de América a buscar cauces de negociación favorables a su estrategia militar con España, siendo ésta la puerta del Mediterráneo y teniendo siempre en cuenta que los EE.UU., no tienen «amigos», sino... intereses.

En el año 1946 Estados Unidos elaboró el Plan Marshall[15] para el que era imprescindible la colaboración de Europa que dada la ruina económica tras la II Guerra Mundial requería su inmediata recuperación, para lo que se encargó del estudio y estructura al secretario de Estado y general del ejército americano; George C. Marshall. El Plan económico elaborado dio paso al epónimo «Plan Marshall», consistente básicamente en conceder un crédito —sin retorno—, de doce mil millones de dólares americanos (otras fuentes superan esta cantidad), del que España quedó fuera por orden directa del presidente Harry S, Truman, que por medio de su

---

15.-Iniciativa de los EE.UU., para ayudar en la reconstrucción de Europa..

embajador en España; Norman Armour, le comunicó al general Francisco Franco personalmente, que:

«Mientras el régimen conserve su carácter actual, no puede haber ninguna expectativa de relaciones cordiales entre España y Estados Unidos que tenga que ver con medidas constructivas por nuestra parte para ayudar a España, o de que España ocupe el lugar que le corresponde en la comunidad de naciones».

Ilustración 14 General Jefe del E.M. George C. Marshall (DP)

Obviamente esta argumentación no hizo el menor efecto en el general Franco, menos cuando era el único que venció al comunismo que pretendió subyugar la soberanía española apoyando económica y militarmente al bando republicano, por lo que la respuesta al embajador fue directa y sin ambages:

«Dígale a su presidente;... que la guerra al comunismo en Europa la ganó el bando nacional, el comunismo y la U.R.S.S., no tienen el control de la puerta del Mediterráneo por ende a Europa. Recuérdele también, que la soberanía de España, pertenece a los españoles...».

Ilustración 15 33º Presidente de EE.UU. Harry S. Truman (DP)

El general Franco sabía que si los Estados Unidos querían impedir el avance comunista en Europa, la entrada por el Mediterráneo era incuestionable y el principal dominio de esas aguas pertenecía a la soberanía española, no le bastaban los convenios firmados y repetidamente ratificados desde el siglo XVIII de los EE.UU., con Marruecos.

Como así sucedió unos años más tarde, el 26 de septiembre del año 1953 el general Francisco Franco jefe del Estado Español y el presidente de los Estados Unidos de América; Dwight David Eisenhower, alcanzaron un acuerdo que fue firmado por el ministro de Exteriores don Alberto Martín Artajo, aconsejado en todo momento por el teniente General don Juan Vigón Suero-Díaz, jefe del Alto Estado Mayor del Ejército representando a España y por parte de los Estado Unidos, el embajador don James Clement Dunn, quedaron citados en el palacio de Santa Cruz de Madrid, donde se firmaron tres convenios bilaterales.

El primero contemplaba una importante ayuda económica para la reconstrucción de la devastada España tras la Guerra Civil consistente en una partida que ascendía a 226 millones de dólares a repartir entre el presupuesto militar y fortalecer la moneda en el sistema de cambio internacional.

El segundo trataba sobre el carácter defensivo, consistente en establecer en territorio español Bases norteamericanas de uso estratégico para lo que se formalizó una importante ayuda económica tanto para su construcción como para la ayuda de la estabilidad financiera del conjunto de la Nación.

El tercero consistía en una colaboración mutua en defensa. En el mes de octubre (5-10-1953) el general Franco compareció ante las

Cortes[16] dando cuenta de los acuerdos firmados con los Estados Unidos de América, para su tramitación y posterior aprobación.

Ilustración 16 34ª Presidente de los EE.UU. Dwight D. Eisenhower (DP)

---

16 Por su valor histórico a título informativo, se incorpora el texto de la Sesión de las Cortes celebrada el 5-10-1953 BOCE Nº 437 (de 8303 a 8319)

Cita del autor:

La historia no es la que queremos, tampoco la que elegimos, simplemente la historia es la que construimos.

Luis Torres Píñar

BOLETIN OFICIAL DE LAS CORTES ESPAÑOLAS

Núm. 437

Día 5 de octubre de 1953

M E N S A J E

dirigido a las Cortes Españolas por S. E. el Jefe del Estado y Generalísimo de los Ejércitos

"A las Cortes de la Nación:

Al remitir a las Cortes de la Nación el texto de los Convenios concertados por mi Gobierno con los Estados Unidos de América, que marcan el jalón más importante de nuestra política exterior contemporánea, es mi propósito el señalar las razones y fundamentos más destacados que motivaron estos Convenios, que, sin duda, han de tener honda trascendencia para el futuro de nuestra Patria.

La política exterior del Movimiento Nacional en la Cruzada, durante la guerra universal y en la posguerra que padecimos, ha sido recta y clara: servir a la dignidad, a la grandeza y al progreso de nuestra nación, interpretando lealmente la voluntad y los anhelos de renacimiento de nuestro pueblo. La serenidad y firmeza con que cuidamos durante nuestra Cruzada de evitar situaciones de mayor violencia que pudieran alterar, llegada la paz, nuestra buena relación con los otros pueblos, permitió que terminásemos nuestra lucha interior sin que se hubieran alterado las relaciones que tradicionalmente manteníamos con las distintas naciones.

Surgida, pocos meses después, la conflagración universal contra nuestro interés y en nuestro perjuicio, pese a las alternativas que la guerra ofreció, España mantuvo, durante este paréntesis bélico, relación amistosa con todas las naciones. Fué durante estos tiempos en que la guerra se acercó a nuestras fronteras y a nuestros mares, cuando, en defensa de la paz y de la integridad de nuestra Península, suscribimos los Acuerdos con la nación portuguesa, que tantos beneficios habrían de reportar a la paz y a la compenetración entre nuestros dos pueblos.

No se ocultaba a nuestra perspicacia la clara visión de las dificultades de la posguerra, ni las amenazas que sobre el Occidente se acumulaban, y ante la grave necesidad de las horas que habían de avecinarse, intentamos facilitar el necesario entendimiento occidental aclarando nuestras relaciones con la Gran Bretaña, que, por el realismo que tradicionalmente caracterizó su política y el aprecio que hacíamos del valor desarrollado por sus juventudes, especialmente en la mar y en el aire, nos hacía concebir la esperanza de que, llegada la paz, pudiera ser un factor constructivo para la unión del Occidente. Creíamos que las lecciones de la guerra habrían de ser

65

aprovechadas, y que los imperialismos de ayer habrían de trocarse en medidas prácticas de justicia, confianza y colaboración entre las naciones ubicadas en una misma área geográfica, y quisimos, antes del final de la gran contienda, dar a conocer a la más importante de las naciones del Occidente europeo nuestros propósitos frente a los acontecimientos que a plazo fijo habían de surgir.

Difícilmente se resignan las naciones, ayer imperiales, a entregar el cetro de sus privilegios, lo que viene todavía caracterizando el forcejeo y reservas que se acusan en el servicio al interés general de la hora presente. En esté cuadro general había de definirse la política exterior española.

¡Para qué recordar, si en el ánimo de todos los españoles está, la ceguera con que se acogió nuestro propósito! No tardaron muchos meses para poder comprobar que nada había cambiado en la vieja mentalidad del Occidente y que España necesitaba cruzar sola los mares revueltos de la posguerra. Fueron tantos los errores cometidos en estos años con su secuela de pueblos vendidos y entregados, que hemos de considerarnos felices de no tener la menor responsabilidad en la tribulación en que tantas naciones de Europa se ven sumidas.

Dividida Europa en vencedores y vencidos, desequilibrada por el creciente poder e insaciable ambición soviéticos, se imponía un forzado compás de espera en nuestras relaciones por cuanto a Europa se refiriese.

El Movimiento nacional español, pleno de vigor y de juventud, forzosamente tenía que chocar con el egoísmo e incomprensión de tantos pueblos de nuestro Continente. Esto explica la atracción que empuja a nuestro pueblo hacia las naciones jóvenes, ligadas a él por tantos vínculos históricos, y que en esa necesidad de asociación que caracteriza la era en que vivimos, por encima de su poder material, supiese apreciar el idealismo y la juventud del pueblo de los Estados Unidos, tan desfigurado por las maliciosas propagandas, pero que a la hora de la verdad sabe morir en Europa o en Asia, a varios millares de millas de su Patria, haciendo honor a sus compromisos e ideales.

Que los pueblos no pueden vivir sin una política exterior, es cosa evidente. La falta de una política internacional en la vida de nuestra Patria y el abandono de su proyección en el exterior, ha venido siendo la causa ya secular de nuestros desastres y de que, poco a poco, se olvidasen los grandes servicios que, a través de la Historia, nuestra patria ha venido prestando a los otros pueblos. En este caso, qué pocos son los que en los Estados Unidos conocen la medida en que, en los albores de su libertad, la nación española ayudó militar y económicamente a su independencia.

Hoy apuntan en el horizonte internacional nuevas formas de vida supernacional, que las relaciones de todo orden y los imperativos de la defensa común vienen imprimiendo a nuestra época. A este signo de los tiempos nuevos ha de ajustarse la política exterior de las naciones y desterrar los conceptos viejos y los nacionalismos aldeanos, incompatibles con la hora que nos tocó vivir. Los progresos de la civilización en el mundo han sido tan rápidos y los avances del pensamiento universal tan grandes, que ya no se concibe la sumisión o la dependencia forzadas de unas naciones a las otras. Una cosa es la noble rectoría, que lo mismo entre las naciones que en la sociedad acompaña siempre al mejor dotado, y otra el que nadie pretenda por la fuerza perpetuar privilegios que están fuera del cuadro de los tiempos modernos.

Aumentada al área que alcanzan los conflictos bélicos, no cabe ya en la política de las naciones aquel aislamiento en que antaño pudo encerrarse la política exterior de muchos Estados. En los modernos conflictos los objetivos han venido a ser totales, sin que detengan a los beligerantes consideraciones de orden moral y de respeto a derechos y soberanías que no estén poderosamente respaldados. Si en tiempo de paz la razón moral llega a ser trascendente, deja de serlo cuando la guerra se desencadena y un imperativo de alcanzar la victoria a toda costa embota la conciencia de los contendientes.

Reconocida universalmente la amenaza de agresión sobre el Occidente, nadie podría concebir que ésta pudiera detenerse por su propia voluntad ante nuestras fronteras. Sería desconocer los objetivos que el comunismo soviético persigue, y entre los que nuestra Patria ha venido figurando en el primer plano. No quedan tan lejos los días en que Moscú mandaba en el territorio de la España roja, ni los posteriores en que la agresión en todas sus formas se esgrimió contra nuestra nación, desde la conjura en los medios internacionales hasta la agresión abierta sobre nuestras fronteras, pretendiendo crear en nuestro territorio focos de terrorismo, que nuestras beneméritas fuerzas de la Guardia Civil han venido extirpando desde sus inicios. Propósitos que siguen campeando en las emisiones de las radios rojas desde territorio comunista. La defensa del Occidente contra la agresión comunista es, pues, para nosotros, tanto o más importante que pueda serlo para los Estados Unidos.

Reconocida la amenaza, la cuestión se planteaba en los siguientes términos:

¿Podríamos con nuestros propios medios, sin colaboración exterior, asegurar a nuestra nación contra la agresión comunista?

Aun en el caso de que este desiderátum fuera posible, ¿cuántos años necesitaríamos para lograrlo?

¿Permite la situación de nuestra economía y de nuestra balanza de pago, sin la ayuda de créditos extranjeros, satisfacer a un tiempo las demandas de nuestro resurgimiento económico y de nuestra defensa?

La respuesta no puede estar más clara: si España quiere en el menor tiempo asegurarse contra la agresión exterior, necesita de la colaboración que en los Convenios se establece.

No es nuestro propósito el que los otros nos defiendan, sino el de defendernos por nosotros mismos, facilitando, con la preparación de nuestras bases y la intensificación de nuestros armamentos, la colaboración con los Estados Unidos frente a la posible agresión.

España no puede ser indiferente al éxito o al fracaso de la defensa del Occidente. Con su colaboración con los Estados Unidos se llena un vacío gravísimo de esta defensa. Solamente la enunciación del concierto del Convenio hispanoestadounidense, representa una importante victoria que fortalece la paz frente a la amenaza comunista.

Si la nación española, sirviendo a su interés y al de la defensa del Occidente, inicia por estos Convenios con los Estados Unidos de América una estrecha colaboración, lo hace dejando a salvo nuestras peculiares ideologías y dentro de nuestra insobornable soberanía, dando comienzo a una política de amistad estable entre nuestras naciones. El respeto mutuo a lo privativo de cada nación viene siendo, a través de los tiempos, la base única de la posible asociación. Sin él no serían posibles las Organizaciones supranacionales que la situación internacional demanda.

Si estos Convenios entrañan honda trascendencia y son beneficiosos en los distintos órdenes al más rápido resurgir de nuestra nación, sería erróneo que alguien pretendiera valorarlos por el cálculo frío del importe material de unas ayudas, ya que no se trata de la venta o justiprecio de determinadas facilidades, sino de servir en la forma más perfecta a la amistad y colaboración de nuestras naciones para su defensa contra la agresión en el campo de nuestras mutuas necesidades, sujeta, como es natural, al ritmo y medida de los créditos y elementos disponibles.

Si España con sus propios recursos supo superar la honda crisis que la guerra mundial le ocasionó y puede ofrecer hoy una situación económica fuerte y estable, su ritmo, sin embargo, se ve frenado en cuanto se refiere a sus necesidades del exterior, por su situación de divisas, resultado de su intercambio comercial.

El atender en estas condiciones a las obligaciones e imperativos tanto del resurgimiento económico como de su defensa, obliga a que su marcha, aunque segura, tuviera que desenvolverse con determinada lentitud, incompatible con las necesidades de esta hora.

Mucho es lo que con nuestros propios medios nuestra nación ha venido haciendo en orden al refuerzo y renovación de sus armamentos, pero los progresos técnicos industriales han sido tan grandes en determinadas técnicas, que, pese al renacimiento industrial de nuestra Patria, no se hacía posible el alcanzar a tiempo determinadas metas sin la colaboración técnica de las naciones más adelantadas. Raro es el país que por sí mismo puede atender a satisfacer todas sus necesidades. Por ello, de la colaboración internacional se derivan ventajas considerables para el perfeccionamiento de nuestro armamento.

Al enfrentarse España con las responsabilidades derivadas del Acuerdo, naturalmente habían de ofrecérsele los medios complementarios para activar el ritmo de su reconstrucción y armamento, ofreciéndosele los créditos convenientes a su economía que complementasen los que por su propio esfuerzo ha venido movilizando. Los fines a que estos créditos han de dedicarse, el vacío que en la economía española vienen a llenar y la vigilancia que sobre las inversiones ha de mantenerse, ofrecen plena garantía de que están eliminados los riesgos de una inflación.

Los Acuerdos tienen, por otra parte, la virtud de interesar en nuestra defensa a la nación más poderosa de la tierra, entendimiento que cobra especial importancia cuando se concierta con un pueblo como el español, de tan altos valores patrióticos y espirituales. El que la fina sensibilidad del pueblo de los Estados Unidos haya elevado en estos años cruciales a la Jefatura del Estado al general Eisenhower, insigne artífice de su victoria, constituye una garantía de que defenderá con mano firme los ideales de paz y de justicia que los pueblos anhelan.

Los Convenios suscritos por la nación española vienen, por otra parte, a reforzar el Bloque estratégico de nuestra Península, cimentado sobre el Tratado de amistad y no agresión concertado con Portugal en 1939 para asegurar la paz en este extremo del Occidente, y reforzado al correr de estos años por los Protocolos adicionales de 1940 y 1948.

Si en algún momento la disparidad de los compromisos contraídos por cada parte pudiera rozar y tener que someterse al Tratado de amistad de nuestro Pacto Ibérico, al suscribir hoy España Convenio similar al que en su día concertó Portugal con idéntico fin con las naciones del Pacto Atlántico, se refuerza aquél con la unidad geográfica y estratégica de la Península Ibérica, que puede considerarse como un todo por cuanto respecta a su mayor valor en la defensa del Occidente.

En esta hora de plenitud de nuestra política exterior, no podía faltar nuestro recuerdo para aquellas naciones de nuestra estirpe que en las horas difíciles estuvieron a nuestro lado, haciendo honor a su hidalguía.

Al ofrecer al pueblo español, a través de las Cortes de la nación, los frutos en la política exterior de esta primera etapa, he de destacar la trascendencia que para ello ha tenido su confianza reiterada y la unidad entre los hombres y las tierras de España. Poco hubiera valido nuestra posición estratégica y la necesidad que de nosotros se tenía, si no hubiera estado respaldada por la unidad y decisión de un pueblo de tan altos valores espirituales."

FRANCISCO FRANCO

PRESIDENCIA DE LAS CORTES ESPAÑOLAS

Remitido a esta Presidencia el texto de los Convenios firmados en Madrid entre España y Norteamérica, a los efectos de lo preceptuado en el artículo 14 de la Ley de creación de las Cortes Españolas, se ordena su envío a la Comisión de Tratados, a la que corresponde su estudio.

Los Procuradores, cualquiera que sea la Comisión a que pertenezcan, podrán formular observaciones al texto de dichos Convenios durante un plazo de quince días, a partir de la fecha de esta publicación.

Palacio de las Cortes a 5 de octubre de 1953.
Esteban de Bilbao.

CONVENIOS ESPAÑA Y NORTEAMERICA

CONVENIO RELATIVO A LA AYUDA PARA LA MUTUA DEFENSA ENTRE ESPAÑA Y LOS ESTADOS UNIDOS DE AMERICA

Los Gobiernos de España y de los Estados Unidos de América;

Deseando estimular la paz y la seguridad internacional y promover la comprensión y buena voluntad y para mantener la paz mundial;

Considerando que el Congreso de los Estados Unidos de América ha promulgado una legislación que permite a los Estados Unidos de América prestar ayuda militar, económica y técnica a España de modo que pueda cumplir tales objetivos;

Deseando establecer las obligaciones y condiciones que rigen el suministro de ayuda militar por el Gobierno de los Estados Unidos de América bajo tal Legislación y las medidas que los dos Gobiernos han de adoptar aislada y conjuntamente para la consecución de los objetivos antes mencionados;

Han convenido lo siguiente:

Artículo I

1.—Cada Gobierno pondrá a la disposición del otro y a la de aquellos otros Gobiernos que las Partes pudieran en cada caso acordar, el equipo, materiales, servicios u otras asistencias, en las cantidades, términos y condiciones que se convenga. El suministro y utilización de tales asistencias será concordante con la Carta de las Naciones Unidas.

Toda asistencia que pueda ser prestada por el Gobierno de los Estados Unidos en cumplimiento de este Convenio, será suministrada dentro de las previsiones y con sujeción a todos los términos, condiciones y supuestos de la Ley de Ayuda para la Defensa Mutua de 1949 y a la Ley de Seguridad Mutua de 1951, Leyes que las enmiendan y complementan y Leyes presupuestarias consiguientes.

Los dos Gobiernos negociarán, cuando se considere necesario, los arreglos convenientes para la ejecución de las previsiones de este Apartado.

2.—Ambos Gobiernos utilizarán esta asistencia exclusivamente a los fines de afirmación de la paz y seguridad internacionales, en virtud de acuerdos satisfactorios para ambos Gobiernos, y sin previo y mutuo consentimiento no dedicarán tal asistencia a otros fines distintos de aquéllos para los que fué suministrada.

3.—Se concertarán los acuerdos necesarios por los cuales aquel equipo y material suministrado en ejecución de este Convenio, y que no sea ya necesario a los fines para los que originalmente fué suministrado, será ofrecido para devolución al país que suministró tal equipo o material.

4.—Sin previo y mutuo consentimiento, ninguno de los dos Gobiernos transferirá a perso-

nas ajenas a ellos, o a cualquiera otra Nación, los títulos o derechos de posesión de equipo, material, propiedad, información o servicios recibidos bajo los términos de este Convenio.

5.—El Gobierno de España tomará aquellas medidas de seguridad que en cada caso acuerden ambos Gobiernos para evitar la difusión del conocimiento de efectos y materiales militares conceptuados como reservados, o de servicios o informaciones suministradas en ejecución del Convenio.

6.—Cada Gobierno adoptará las medidas adecuadas, compatibles con la seguridad, para mantener informada a la opinión pública de las disposiciones de ejecución de este Convenio.

7.—Ambos Gobiernos acordarán las normas por las que el Gobierno español pueda depositar, segregar o asegurar destino a todos los fondos asignados o que se deriven de cualquier programa de ayuda de los Estados Unidos, a fin de que dichos fondos no puedan quedar sujetos a embargo, confiscación, decomiso u otro proceso legal análogo, por cualquier persona, entidad o Gobierno, cuando en la opinión de los Estados Unidos, dicho proceso legal pudiera interferir el logro de los objetivos de dicho programa de asistencia.

Artículo II

Los dos Gobiernos, a requerimiento de cualquiera de ellos, negociarán entre sí acuerdos adecuados a fin de proveer métodos y términos para la cesión de derechos de patente e informaciones técnicas para la defensa que, facilitando dicho intercambio, al mismo tiempo protejan los intereses privados y mantengan las necesarias garantías de seguridad.

Artículo III

1.—El Gobierno de España, aparte de las obligaciones que contraiga a consecuencia de otros acuerdos con el Gobierno de los Estados Unidos, se compromete a poner a disposición del Gobierno de los Estados Unidos de América, las sumas en pesetas necesarias para los gastos administrativos y los derivados de las operaciones que para los Estados Unidos acarrea el programa de Ayuda Exterior. Los dos Gobiernos iniciarán seguidamente las discusio-

69

nes para determinar el monto de tal suma en pesetas y para establecer acuerdos sobre su adecuado suministro.

2.—A menos que otra cosa se acordase, el Gobierno de España garantizará la franquicia de derechos de importación y exportación, así como la exención de tributos internos, sobre los productos, propiedades, materiales o equipo, importados en su territorio como consecuencia de este Convenio o de algún otro similar entre el Gobierno de los Estados Unidos y el de cualquier otro país que reciba asistencia militar.

3. a) Las inversiones y gastos efectuados en España por el Gobierno de los Estados Unidos, o por su cuenta para el común esfuerzo defensivo, incluso los que se realicen como consecuencia de cualquier otro programa de ayuda exterior, quedarán relevados de todo impuesto. A este fin el Gobierno español dictará normas pertinentes, satisfactorias para ambas Partes.

b) Un Anexo Técnico unido a este Convenio y autorizado por él, fijará las normas y procedimientos generales de ejecución de esta cláusula.

c) La exención de impuestos autorizada anteriormente será aplicable a las operaciones y desembolsos de los Estados Unidos que se autoricen en virtud del Convenio Defensivo, de los que en consecuencia se concierten y el Convenio de Ayuda Económica, en la forma convenida entre los dos Gobiernos.

ARTÍCULO IV

1.—El Gobierno de España admitirá el personal del Gobierno de los Estados Unidos de América que deba cumplir en territorio español las obligaciones adquiridas por este Convenio, al que concederá las facilidades necesarias para observar los progresos en la realización de la asistencia prestada. Este personal, que será de nacionalidad norteamericana, incluso el temporalmente destinado, operará en sus relaciones con el Gobierno de España, como parte de la Embajada de los Estados Unidos de América, bajo la dirección y control del Jefe de la Misión Diplomática y tendrá el mismo estatuto que el personal de la categoría correspondiente de la Embajada de los Estados Unidos de América. Al recibir la pertinente notificación del Gobierno de los Estados Unidos, concederá el Gobierno español pleno estatuto diplomático al número que se acuerde del personal designado por este Artículo.

2.—El Gobierno de España concederá exención de impuestos de importación y exportación a los objetos de uso personal que sean propiedad de las mencionadas personas o de sus familiares y adoptará medidas administrativas adecuadas para facilitar la citada importación y exportación de las propiedades personales de dichos funcionarios y sus familiares.

ARTÍCULO V

1.—El Gobierno de ambos países:

a) colaborará en el mejoramiento de la comprensión y buena voluntad internacionales y en el mantenimiento de la paz mundial;

b) adoptará las medidas que conjuntamente convengan para eliminar causas de tensión internacional; y

c) cumplirá las obligaciones militares asumidas en Acuerdos bilaterales o multilaterales o Tratados de que ambos países sean parte.

2.—El Gobierno español:

a) aportará al desarrollo y mantenimiento de su propio poder defensivo y el del mundo libre, en la medida de su estabilidad política y económica, la plena contribución que le permitan su potencial humano, recursos, instalaciones y condición económica general;

b) adoptará todas las medidas razonables que sean necesarias para desarrollar su capacidad defensiva; y

c) tomará todas las medidas adecuadas para asegurar la utilización efectiva de la asistencia económica y militar proporcionada por los Estados Unidos de América.

3.—Ambos Gobiernos están dispuestos a cooperar en los esfuerzos internacionales que se realicen para llegar a convenios sobre la reglamentación universal y reducción de armamentos, bajo las adecuadas garantías contra toda tentativa de eludirlos o violarlos.

ARTÍCULO VI

En interés de su mutua seguridad, el Gobierno de España, cooperará con el de los Estados Unidos en la adopción de medidas previstas para controlar el comercio con naciones que amenacen el mantenimiento de la paz mundial.

ARTÍCULO VII

1.—Este Convenio entrará en vigor en la fecha de su firma y continuará hasta un año después de recibida, por cualquiera de las partes, notificación escrita de la otra, de su intención de terminarlo, subsistiendo las previsiones de los párrafos 2 y 4 del artículo I, los convenios de sus párrafos 3, 5 y 7, así como del artículo II y párrafo 3 del artículo III, que continuarán vigentes a menos que otra cosa acuerden los dos Gobiernos.

2.—Los dos Gobiernos se consultarán, a requerimiento de cualquiera de ellos, sobre cualquier asunto relacionado con la aplicación o modificación de este Convenio.

3.—Este Convenio será registrado en el Secretariado de las Naciones Unidas por el Gobierno de los Estados Unidos de América.

ANEXO ÚNICO AL CONVENIO RELATIVO A LA AYUDA PARA LA MUTUA DEFENSA

EXENCIONES FISCALES.

1) a) De conformidad con el Artículo III, apartado 3 del Convenio relativo a la ayuda para la Mutua Defensa, el Gobierno español acuerda y garantiza que todas las actividades y gastos que se ejecuten dentro de la jurisdicción del mismo, por o en nombre de los Estados Unidos, para la defensa común, incluyendo las operaciones y desembolsos llevados a cabo en relación con cualquier programa de ayuda exterior acordado por los Estados Unidos y que las operaciones y desembolsos efectuados por los Estados Unidos para la defensa común bajo los términos de este Convenio o fuera de él, quedarán exentos de impuestos (incluso sobretasas, contribuciones u otras cargas de cualquier naturaleza, salvo aquella razonable compensación que puedan hacer los Estados Unidos por aquellos servicios solicitados y recibidos) por parte o en beneficio del Gobierno español, de los organismos

políticos que de él dependan o de entidades semiestatales.

b) Estas exenciones serán de aplicación en todos los casos en que el obligado al pago del impuesto sea en último término los Estados Unidos, en todos los casos en que se trate de impuestos que repercutan de forma directa en los gastos que efectúen los Estados Unidos, y en todos los casos previstos en el Convenio Defensivo y convenios que en virtud del mismo se establezcan y en los Convenios relativos a la ayuda para la Mutua Defensa y Económico, firmados en 26 de septiembre de 1953.

Las exenciones fiscales concedidas por el presente Convenio, no alcanzarán, excepto en los casos antes citados, a los impuestos que de manera directa gravan los beneficios, utilidades y operaciones de las personas y entidades que realicen servicios, obras o trabajos, por cuenta de, o para los Estados Unidos.

c) Los impuestos cuya exención se concede por el presente Anexo y de cualquier otro modo que pudiera convenirse entre ambas partes, deberán incluir, sin que ello suponga limitación, a los siguientes:

(1) Impuestos sobre las transmisiones de bienes y derechos reales (derechos de bienes raíces).

(2) Derechos de importación (cualquier impuesto o derecho que deba pagarse por la importación de artículos, materiales o partes o piezas de los mismos, adquiridos con cargo a los desembolsos antes expresados).

(3) Derechos de exportación.

(4) Transportes e impuestos sobre las entradas y salidas.

(5) Impuesto sobre tonelaje.

(6) Impuesto de Timbre.

(7) Impuesto de Usos y Consumo, excepto en los casos de aquellos productos (petróleo y sus derivados y tabacos) cuya producción o venta esté monopolizada por el Estado. Caso de efectuarse las adquisiciones de otros orígenes que no sean de los propios fabricantes, este impuesto será de aplicación, pero se concederá su devolución, de acuerdo con unas normas a desarrollar, de aquella parte del precio que comprenda este impuesto. Estas normas comprenderán el método a seguir para determinar el importe del impuesto a reintegrar.

(8) Impuestos provinciales (excepto los correspondientes a servicios prestados).

71

(9) Impuestos Municipales (excepto los correspondientes a servicios prestados).

(10) Impuestos sobre industrias u oficios y profesiones en la cuantía, caso de existir, en que dicho impuesto aumentase a causa de las actividades y gastos a que se hace referencia en el apartado 1) a) anterior.

(11) (Cualquier impuesto adicional que sea de aplicación).

d) Las exenciones fiscales otorgadas de conformidad con los preceptos de este Convenio, se considerarán como ampliación de las exenciones que normalmente disfrutan los Estados Unidos dentro de la jurisdicción del Gobierno de España. Las exenciones así concertadas serán de aplicación a todas las operaciones y desembolsos de la índole descrita en el apartado a) del presente Anexo, que puedan producirse después de la fecha de este Convenio.

e) Con respecto a cualquier otra contribución no expresamente mencionada en el subapartado c) del presente Anexo y que pudiera ser de aplicación a desembolsos u operaciones de la índole aquí citada, los dos Gobiernos se consultarán con objeto de llegar a soluciones mutuamente satisfactorias sobre las normas a seguir para lograr la exención fiscal de las mismas, de acuerdo con el principio de exención fiscal otorgado en el subapartado a) del apartado 1).

f) Del mismo modo, caso de surgir situaciones o circunstancias especiales en relación con los impuestos de la índole expuesta en el subapartado c) que pudieran afectar al cumplimiento de las condiciones de exención concedidas por el presente Anexo, tales situaciones o circunstancias serán objeto de discusión entre los dos Gobiernos con objeto de ampliar este Convenio con arreglo al espíritu y los términos de este Anexo. Si fuera preciso, el Gobierno español estudiará la conveniencia de dictar las medidas legislativas adecuadas para el cumplimiento de este fin.

g) No estarán afectados por este Convenio los requisitos de la Legislación española que tengan carácter social ni cualquier otra contribución relacionada con el empleo de la mano de obra.

2) La exención antes especificada será concedida con arreglo a las normas detalladas que a continuación se expresan. Las modificaciones de las citadas normas, que pudieran aparecer

como ventajosas con objeto de simplificar el trabajo burocrático y la ejecución de la exención antes concedida, podrán ser iniciadas de mutuo acuerdo entre las Autoridades competentes españolas y de los Estados Unidos. El protocolo de estas modificaciones, podrá tener la forma de un anexo o anexos a unir a éste cuando así sea necesario.

Los Estados Unidos comunicarán al Gobierno español (Ministerio de Hacienda), las operaciones y gastos que realicen que a su juicio deban gozar de las exenciones fiscales que concede el presente Convenio, haciéndolo con el detalle suficiente para la mejor identificación del concepto y cuantía de la operación. A la vista del escrito, el Gobierno español (Ministerio de Hacienda) dará las órdenes oportunas a los servicios correspondientes (Direcciones Generales, Aduanas, Delegaciones de Hacienda, etc.), para la exención de impuestos. En caso de que éstos hubieran sido ya pagados, se ordenará su devolución.

En el Ministerio de Hacienda se creará una Oficina que cuidará expresamente de la ejecución de este Anexo.

Caso de surgir discrepancias sobre la ejecución del presente Anexo, podrán ser éstas elevadas a la consideración de una Junta compuesta por Autoridades competentes de ambos Gobiernos.

3) El Gobierno español (Ministerio de Hacienda) podrá, de acuerdo con el de los Estados Unidos y en la forma que se establezca en cada caso, tomar las medidas necesarias para asegurarse de que los materiales y productos importados o adquiridos exentos de impuestos no sean usados o destinados en atenciones distintas de las señaladas en el Apartado 1) a) del presente Anexo.

NOTA INTERPRETATIVA DEL ANEXO DE EXENCIÓN FISCAL AL CONVENIO RELATIVO A LA AYUDA PARA LA MUTUA DEFENSA

Por la presente se hace constar la siguiente interpretación a ciertos puntos del Anexo de Exención Fiscal:

Queda entendido que los casos de exención fiscal contenidos en el primer párrafo del apartado 1 b) del Anexo de Exención Fiscal al Convenio Relativo a la Ayuda para la Mutua Defensa, no pueden interpretarse como limitativos al alcance de la exención fiscal prevista en el párrafo 1 a) y que solamente confirman ciertas aplicaciones particulares de dicha exención.

Queda también entendido que las frases "en todos los casos en que el obligado al pago del impuesto sea en último término los Estados Unidos" y "todos los casos en que se trate de impuestos que repercutan de forma directa en los gastos que efectúen los Estados Unidos", en el párrafo citado, tienen por objeto incluir en la exención la incidencia directa e indirecta de impuestos sobre el precio final pagado por el Gobierno de los Estados Unidos en relación con los desembolsos descritos en el párrafo 1 a). Además, queda entendido que la referencia en el segundo párrafo del apartado 1 b) a impuestos sobre "operaciones", alude a impuestos sobre licencias para ejercer negocios y no comprende ningún otro de los impuestos enumerados en el párrafo 1 c) del Anexo de Exención Fiscal.

CONVENIO SOBRE AYUDA ECONOMICA ENTRE ESPAÑA Y LOS ESTADOS UNIDOS DE AMERICA

El Gobierno español y el Gobierno de los Estados Unidos de América:

reconociendo que la libertad individual, las instituciones libres y la verdadera independencia de todos los países, al igual que la defensa contra la agresión, tienen como base principal el establecimiento de una economía sana;

considerando que el Congreso de los Estados Unidos de América ha promulgado una legislación que permite a los Estados Unidos de América facilitar a España asistencia militar, económica y técnica; y

deseando exponer los principios que rigen la prestación de ayuda económica y técnica por el Gobierno de los Estados Unidos de América, de conformidad con la Ley de Seguridad Mutua de 1951 y sucesivas enmiendas, así como establecer las medidas que ambos Gobiernos adoptarán separada y conjuntamente para la consecución de los fines de dicha legislación; han convenido lo siguiente:

ARTÍCULO I

Asistencia.

a) El Gobierno de los Estados Unidos de América facilitará al Gobierno español o a cualquier persona, entidad u organización que este último designe, la asistencia técnica y económica que se pida por el Gobierno español y se apruebe por el de los Estados Unidos de América, conforme a las estipulaciones convenidas en el presente Convenio y con sujeción a todos los términos, condiciones y cláusulas de caducidad que determinen las leyes entonces vigentes en los Estados Unidos de América.

b) Ambos Gobiernos establecerán los procedimientos por los cuales el Gobierno español depositará, segregará y protegerá todos los fondos asignados o que se deriven de cualquier programa de ayuda de los Estados Unidos de América, con objeto de que dichos fondos no puedan quedar sujetos a embargo, confiscación, decomiso u otro procedimiento legal análogo por ninguna persona, sociedad, entidad, corporación, organización o Gobierno, cuando en opinión de los Estados Unidos de América dicho procedimiento legal pudiera entorpecer el logro de los fines de dicho programa de asistencia.

ARTÍCULO II

Obligaciones generales.

1.—Con objeto de alcanzar los fines expuestos en la Ley de Seguridad Mutua de 1951 y de lograr, mediante el empleo de la asistencia recibida del Gobierno de los Estados Unidos de América, los máximos beneficios, el Gobierno español hará lo posible por:

a) adoptar o mantener las medidas necesarias para asegurar el empleo eficaz y práctico de todos los recursos de que dispone, incluyendo:

i) las medidas necesarias para asegurar que los bienes y servicios suministrados en cumplimiento de este Convenio, incluso los obtenidos con los fondos depositados en la Cuenta Especial establecida en el Artículo V del mismo, se usan solamente para los fines que convengan ambos Gobiernos;

ii) la observación y vigilancia del uso de dichos bienes y servicios mediante un sistema de fiscalización eficaz y mutuamente aceptable; y

iii) medidas, en cuanto sea posible, para localizar, identificar y utilizar de un modo adecuado los bienes y rentas situados en los Estados Unidos de América, sus territorios y posesiones que pertenezcan a súbditos españoles. Esta cláusula no impone obligación alguna a los Estados Unidos de América de colaborar en la ejecución de dichas medidas:

b) estabilizar su moneda, fijar o mantener un tipo de cambio real, equilibrar su presupuesto estatal tan pronto como ello sea posible, crear o mantener una estabilidad financiera interna y, en general, restaurar o mantener la confianza en su sistema monetario;

c) cooperar con el Gobierno de los Estados Unidos de América para asegurar que cualquier adquisición financiada con la ayuda facilitada por el Gobierno de los Estados Unidos de América al Gobierno español sea efectuada a precios y en condiciones razonables y que la distribución en España de los mencionados bienes o servicios se haga de tal manera que los mismos se utilicen efectivamente para el fin a que fueron destinados;

d) cooperar con el Gobierno de los Estados Unidos de América para asegurar que cualquier adquisición igualmente financiada y procedente de zonas distintas de la de los Estados Unidos de América, sus territorios o posesiones, sea también realizada a precios y en términos razonables, de manera que los dólares suministrados por este concepto al país del cual se adquieran dichos bienes y servicios se empleen de conformidad con los acuerdos celebrados entre el Gobierno de los Estados Unidos de América y dicho país.

e) desalentar las prácticas y arreglos comerciales que tengan carácter de monopolio o "cartell" de los que resulte una restricción de la producción y un aumento de los precios o que pongan trabas al comercio internacional; estimular la competencia y la productividad y facilitar y fomentar el desarrollo del comercio internacional, reduciendo los obstáculos que puedan entorpecerlo, cuando ello afecte a la realización del programa convenido;

f) concertar lo antes posible un acuerdo con el Gobierno de los Estados Unidos de América en el que se reglamente para los nacionales y compañías norteamericanas un sistema de pagos y transferencias internacionales que permita la conversión paulatina de sus saldos acumulados en pesetas;

g) facilitar al Gobierno de los Estados Unidos de América la observación e información de las condiciones de trabajo en España, en la medida en que éstas se relacionen con los fines y desarrollo del Programa de Seguridad Mutua.

2.—Los Gobiernos de ambos países:

a) colaborarán en el mejoramiento de la comprensión y buena voluntad internacionales y en el mantenimiento de la paz mundial;

b) adoptarán las medidas que conjuntamente convengan para eliminar causas de tensión internacional; y

c) cumplirán las obligaciones militares asumidas en Acuerdos bilaterales o multilaterales o Tratados de que ambos países sean parte.

3.—El Gobierno español:

a) aportará al desarrollo y mantenimiento de su propio poder defensivo y el del mundo libre, en la medida de su estabilidad política y económica, la plena contribución que le permitan su potencial humano, recursos, instalaciones y condición económica general;

b) adoptará todas las medidas razonables que sean necesarias para desarrollar su capacidad defensiva; y

c) tomará todas las medidas adecuadas para asegurar la utilización efectiva de la asistencia económica y militar proporcionada por los Estados Unidos de América.

ARTÍCULO III

Garantías.

Ambos Gobiernos, a petición de cualquiera de ellos, se consultarán sobre aquellos proyectos que debieran realizarse en España propuestos por nacionales de los Estados Unidos de América en relación con los cuales el Gobierno de los Estados Unidos de América pueda oportunamente dar las garantías previstas en las disposiciones de la Ley de Seguridad Mutua de 1951 y sucesivas enmiendas, que incorpora la Sección III b) 3 de la Ley de Cooperación Económica de 1948 y enmiendas sucesivas. Con respecto a las garantías que cubran proyectos aprobados por el Gobierno español, éste conviene en lo siguiente:

a) si el Gobierno de los Estados Unidos de

74

América efectúa un pago en dólares de los Estados Unidos de América a cualquier persona cubierta por dicha garantía, el Gobierno español reconocerá la transferencia a los Estados Unidos de América de cualquier derecho, título o interés que dicha persona posea en bienes, moneda, créditos o cualquier otra propiedad por cuenta de la cual se efectuó el mencionado pago y la subrogación de los Estados Unidos de América en cualquier reclamación o acción legal que pueda corresponder a tal persona en relación con el caso. El Gobierno español reconocerá asimismo toda transferencia a favor del Gobierno de los Estados Unidos de América —como consecuencia de la citada garantía— cuyo contenido sea una compensación por pérdida cubierta por garantías recibidas de distinto origen que el del Gobierno de los Estados Unidos de América;

b) las sumas en pesetas adquiridas por el Gobierno de los Estados Unidos de América como consecuencia de dichas garantías, no recibirán un trato menos favorable que el que se conceda en el momento de la adquisición a los fondos privados procedentes de transacciones de nacionales de los Estados Unidos de América comparables a las transacciones cubiertas por dichas garantías, y las citadas sumas en pesetas serán puestas a libre disposición del Gobierno de los Estados Unidos de América para gastos administrativos;

c) toda reclamación del Gobierno de los Estados Unidos de América contra el Gobierno español que resulte de la subrogación arriba mencionada o que guarde relación con los bienes, moneda, créditos u otra clase de propiedad o toda diferencia que surja con motivo de este Artículo, será sometida a negociación directa entre los dos Gobiernos. Si, dentro de un período razonable, no pudieran resolver de común acuerdo la reclamación o la diferencia, ésta se referirá a un único árbitro designado de mutuo acuerdo para resolución final. Si, dentro de un plazo de tres meses, los Gobiernos no llegasen a un acuerdo en esta designación, el árbitro podría ser nombrado por el Presidente del Tribunal de Justicia Internacional a petición de cualquiera de los dos Gobiernos.

ARTÍCULO IV

Acceso a ciertos productos.

1. El Gobierno español facilitará a los Estados Unidos de América la adquisición, en condiciones razonables de venta, cambio, compensación u otra forma cualquiera y en las cantidades y por el período de tiempo que se convenga entre ambos Gobiernos, de aquellos productos originados en España que los Estados Unidos de América necesiten como resultado de las deficiencias reales o potenciales de sus propios recursos y para la formación de "stocks" u otros fines. En dichas transacciones se tendrán siempre presentes las necesidades de España en los mencionados productos, tanto para su consumo interno como para su comercio de exportación. El Gobierno español tomará las medidas específicas que sean necesarias para llevar a cabo las disposiciones de este párrafo, incluyendo el fomento de la producción de los productos en cuestión y la supresión de cualesquiera obstáculos que impidan la adquisición de dichos productos por los Estados Unidos de América o su recepción. A petición de cualquiera de los dos Gobiernos, se iniciarán negociaciones con el fin de suscribir los arreglos necesarios para el cumplimiento de lo estipulado en este párrafo. El Gobierno de los Estados Unidos de América hará lo posible para ayudar al Gobierno español a aumentar la producción en España de los productos a que se refiere este Artículo, siempre que se convenga que ello es practicable y compatible con los fines de la Ley de Seguridad Mutua y sucesivas enmiendas.

2.—En relación con aquellos productos que se originen fuera de España, ambos Gobiernos, a petición de cualquiera de ellos, cooperarán, siempre que sea oportuno, en la consecución de los fines a que se refiere el párrafo 1 de este artículo.

ARTÍCULO V

Moneda local.

1.—Las estipulaciones de este Artículo solamente serán aplicables a la asistencia técnica y económica que sea facilitada por el Gobierno de los Estados Unidos de América con carácter de donación.

2.—Se abrirá una cuenta especial en el Banco de España a nombre del Gobierno español —que en adelante se llamará Cuenta Especial—, en la que se depositarán pesetas en cantidades de valor equivalente al coste en dólares para el Gobierno de los Estados Unidos de América de las mercancías, servicios e información técnica (incluidos los costes de transformación, almacenaje, transportes, reparaciones y otros servicios) que se pongan a disposición del Gobierno español con carácter de donación conforme al presente Convenio. El Gobierno de los Estados Unidos de América notificará periódicamente al Gobierno español el coste en dólares de tales mercancías, servicios e información técnica y el Gobierno español, acto seguido, ingresará en la Cuenta Especial el importe equivalente en pesetas computado al cambio que mutuamente se haya convenido entre ambos Gobiernos. Si en el momento de la notificación el Gobierno español fuera miembro del Fondo Monetario Internacional y hubiera llegado a un acuerdo con dicha Institución sobre un tipo de cambio, el importe en pesetas a depositar será computado al tipo de cambio que corresponda a la paridad convenida en aquel momento con el Fondo Monetario Internacional, siempre que esta paridad convenida sea el único tipo de cambio aplicable a la compra de dólares para importaciones en España. Si en el momento de la notificación se hubiera llegado a establecer con el Fondo Monetario Internacional determinada paridad y existiesen uno o más tipos de cambio aplicables a la compra de dólares para importaciones en España, o si no se hubiese llegado a establecer ninguna paridad con dicho Fondo, el tipo o tipos de cambio para este fin serían mutuamente convenidos entre los dos Gobiernos. El Gobierno español podrá, en cualquier momento, anticipar depósitos en la Cuenta Especial que serán acreditados a cuenta de futuras notificaciones, de acuerdo con lo establecido en este párrafo.

3.—(a) El Gobierno de los Estados Unidos de América notificará oportunamente al Gobierno español sus necesidades en pesetas para gastos administrativos y de ejecución como consecuencia de las operaciones realizadas en España de conformidad con la Ley de Seguridad Mutua de 1951 y disposiciones modificativas y complementarias, y el Gobierno espa-

ñol pondrá, en consecuencia, a disposición del Gobierno de los Estados Unidos de América dichas sumas, retirándolas de cualquier saldo existente en la Cuenta Especial en la forma pedida por el Gobierno de los Estados Unidos de América en su notificación. Estas sumas serán cargadas al porcentaje mencionado en este párrafo. El diez por ciento de cada depósito efectuado de acuerdo con este Artículo se pondrá a disposición del Gobierno de los Estados Unidos de América. Queda entendido que el Gobierno de los Estados Unidos de América no convertirá los fondos adquiridos de conformidad con este Artículo en otras monedas sin previa consulta con el Gobierno español.

(b) Ambos Gobiernos se pondrán de acuerdo sobre el número y características generales de las instalaciones militares de defensa mutua que hayan de construirse en España y el Gobierno de los Estados Unidos de América notificará periódicamente al Gobierno español las necesidades para gastos en pesetas que se ocasionen por la construcción y mantenimiento de dichas instalaciones militares. El Gobierno español, acto seguido, facilitará estas sumas retirándolas de cualquier saldo existente en la Cuenta Especial en la forma requerida por el Gobierno de los Estados Unidos de América en su notificación.

4.—Reconociendo la prioridad de los gastos a que se refiere el párrafo 3 de este Artículo, el Gobierno español podrá retirar fondos de cualquier saldo existente en la Cuenta Especial para aquellos gastos que se convengan periódicamente con el Gobierno de los Estados Unidos de América y que se hallen de acuerdo con los fines señalados en la Ley de Seguridad Mutua de 1951 y sucesivas enmiendas.

5.—Cualquier saldo no comprometido que quede en la Cuenta Especial en el momento de la terminación de la asistencia prestada como consecuencia de este Convenio, descontando las sumas no gastadas asignadas en el párrafo 3 (a) de este artículo, podrá emplearse dentro de España para los fines que posteriormente se convengan entre los Gobiernos de los Estados Unidos de América y España, quedando entendido que la aprobación por parte del Gobierno de los Estados Unidos de América estará sujeta a la aprobación por Ley o resolución conjunta del Congreso de los Estados Unidos de América.

ARTÍCULO VI

Consulta y transmisión de información.

1.—Ambos Gobiernos se consultarán, a petición de cualquiera de ellos, sobre todo asunto referente a la aplicación de este Convenio o a las operaciones y arreglos que se lleven a cabo de conformidad con el mismo.

2.—En la forma y tiempo indicados por el Gobierno de los Estados Unidos de América, previa consulta al Gobierno español, éste le comunicará lo siguiente:

a) información detallada acerca de los proyectos, programas y medidas propuestos o adoptados por el Gobierno español para cumplir las estipulaciones de este Convenio

b) relaciones completas de las operaciones realizadas según este Convenio, incluyendo un estado del empleo de los fondos, mercancías y servicios recibidos en cumplimiento del mismo; dichas relaciones se harán trimestralmente;

c) información relativa a la economía española, incluyendo las estadísticas nacionales y la balanza de pagos, que el Gobierno de los Estados Unidos de América necesite para determinar la naturaleza y el alcance de las operaciones realizadas según el Convenio y evaluar la eficacia de la ayuda proporcionada o prevista en el mismo y, en general, los progresos realizados a este respecto durante su vigencia.

3.—El Gobierno español prestará su ayuda al Gobierno de los Estados Unidos de América para obtener información relativa a los productos originados en España a que se refiere el artículo IV y que sea necesaria para formular y ejecutar lo estipulado en dicho artículo.

ARTÍCULO VII

Publicidad.

1.—El Gobierno de los Estados Unidos de América y el Gobierno español reconocen que es de mutuo interés el que se dé completa publicidad a los fines y desarrollo de la asistencia prestada de conformidad con este Convenio y el poner a disposición del pueblo español toda la información pertinente. El Gobierno español estimulará la difusión de dicha información, dando a la asistencia facilitada por el Gobierno de los Estados Unidos de América con arreglo a este Convenio una continua y completa publicidad a través de la prensa, la radio y demás medios de que se dispone en España, y permitirá al Gobierno de los Estados Unidos de América, mediante acuerdo con el Gobierno español, el uso de dichos medios en la medida que sea necesaria para cumplir esta finalidad.

2.—El Gobierno español concederá a los representantes de la prensa de los Estados Unidos de América completa libertad para observar e informar sobre el funcionamiento de los programas de asistencia técnica y económica realizados de conformidad con este Convenio.

3. El Gobierno español publicará trimestralmente en España relaciones completas de las operaciones verificadas según el Convenio, incluyendo información sobre el uso de los fondos, mercancías y servicios recibidos.

ARTÍCULO VIII

Misión Económica Especial.

1.—El Gobierno español accede a recibir una Misión Económica Especial que asumirá las obligaciones del Gobierno de los Estados Unidos de América en España a que se refiere este Convenio.

2.—El Gobierno español, previa notificación en regla del Embajador de los Estados Unidos de América en España, considerará a la Misión Especial y a su personal, así como al Representante especial de los Estados Unidos de América en Europa, como parte de la Embajada de los Estados Unidos de América en España al efecto de gozar de los privilegios e inmunidades otorgados a dicha Embajada y a su personal de rango equivalente.

3.—El Gobierno español prestará su entera cooperación al personal de la Misión Especial, al aludido Representante de los Estados Unidos de América en Europa y a su personal. Esta cooperación incluirá el suministro de la información y de las facilidades necesarias para la observación y vigilancia del cumplimiento de este Convenio, así como del empleo de la asistencia facilitada en virtud del mismo.

ARTÍCULO IX

Resolución de las reclamaciones de los nacionales.

1.—El Gobierno español y el de los Estados Unidos de América convienen en someter a la decisión del Tribunal de Justicia Internacional o a la de un tribunal de arbitraje o un tribunal arbitral, que se designen de común acuerdo, toda reclamación apoyada o presentada por cualquiera de los dos Gobiernos en nombre de uno de sus nacionales y que surja como consecuencia de medidas oficiales (distintas de las tomadas por el Gobierno de los Estados Unidos de América sobre bienes y derechos del enemigo), adoptadas después del 3 de abril de 1948 por el otro Gobierno y que afecten a los bienes o derechos de dicho nacional, incluyendo los contratos o concesiones otorgados por las Autoridades competentes del citado Gobierno. Se entiende que el compromiso del Gobierno de los Estados Unidos de América con respecto a las reclamaciones apoyadas por el Gobierno español, de conformidad con este párrafo, se adquiere con las facultades y dentro de los límites de los términos y condiciones del reconocimiento por los Estados Unidos de América de la jurisdicción obligatoria del Tribunal de Justicia Internacional, según el artículo 36 de los Estatutos de dicho Tribunal, como aparece en la declaración del Presidente de los Estados Unidos de América de fecha 14 de agosto de 1946.

2.—Queda además entendido que ninguno de los dos Gobiernos apoyará o presentará una reclamación con arreglo a este Artículo hasta que su nacional haya agotado los procedimientos administrativos y judiciales del país en que surgió la reclamación.

3.—Las estipulaciones de este Artículo no impedirán en forma alguna la utilización por cualquiera de los dos Gobiernos de otras vías de acceso, si las hubiere, al Tribunal de Justicia Internacional u otro tribunal arbitral o el apoyo y presentación de reclamaciones alegadas por cualquiera de los dos Gobiernos, fundándose en la violación de derechos y deberes derivados de los tratados, acuerdos o principios de de derecho internacional.

ARTÍCULO X

Entrada en vigor, enmiendas y duración.

1.—Este Convenio entrará en vigor el día de la fecha. Con sujeción a las estipulaciones de los párrafos 2 y 3 de este Artículo, continuará vigente hasta el 30 de junio de 1956 y, salvo que al menos seis meses antes de dicha fecha cualquiera de los dos Gobiernos haya notificado al otro por escrito su intención de poner término al Convenio en el mencionado 30 de junio de 1956, quedará en vigor hasta la expiración de un período de seis meses a contar de la fecha en que la notificación hubiera sido hecha.

2.—Si durante la vigencia de este Convenio cualquiera de los dos Gobiernos considerase que se ha producido un cambio fundamental en los supuestos básicos en que se apoya, lo notificará por escrito al otro y ambos Gobiernos se consultarán con el fin de convenir la enmienda, modificación o término del mismo. Si después de tres meses de dicha notificación no hubiesen llegado a coincidir los dos Gobiernos sobre la decisión que hubiera que adoptar en tal caso, cualquiera de ellos puede notificar al otro, por escrito, su decisión de poner término a este Convenio. Entonces, y con sujeción a las estipulaciones del párrafo 3 de este Artículo, el Convenio terminará:

a) seis meses después de la fecha de notificación de la intención de ponerle término; o bien,

b) después de un período de tiempo más breve que se considere mutuamente como suficiente para asegurar que se cumplen las obligaciones del Gobierno español con respecto a cualquier ayuda que continúe siendo facilitada por el Gobierno de los Estados Unidos de América con posterioridad a la fecha de notificación; siempre que se mantenga la vigencia del Artículo IV y del párrafo 3 del Artículo VI hasta dos años después de la fecha de notificación de la intención de terminar, pero nunca más tarde del 30 de junio de 1956.

3.—Los acuerdos y arreglos subsidiarios negociados de conformidad con este Convenio, pueden permanecer en vigor después de la fecha de terminación del mismo y su período de efectividad quedará regulado por sus propios

78

términos. El Artículo V se mantendrá en vigor hasta que todas las sumas en moneda española, a cuyo depósito obliga dicho Artículo de conformidad con sus propios términos, hayan sido utilizadas de acuerdo con las estipulaciones contenidas en el mismo.

4.—Este Convenio puede ser modificado en cualquier momento si así lo convienen ambos Gobiernos.

5.—El Gobierno de los Estados Unidos de América registrará este Convenio en la Secretaria de las Naciones Unidas.

En fe de lo cual, los respectivos Representantes, debidamente autorizados para este fin, firman el presente Convenio.

ANEJO

NOTAS INTERPRETATIVAS.

1.—Queda entendido que los requisitos del párrafo 1.—*a)* del Artículo II, referentes a la adopción de medidas para la utilización eficiente de los recursos, incluirán, en relación con las mercancías facilitadas dentro del Convenio, las medidas necesarias para salvaguardar dichas mercancías e impedir su desviación a mercados o cauces comerciales de carácter ilegal o irregular.

2.—Queda entendido que el párrafo 1.—*c)* del Artículo II no debilita el derecho y responsabilidad de los Estados Unidos de América a especificar cualesquiera términos y condiciones de ayuda que se consideren necesarios.

3.—Queda entendido que las prácticas y arreglos comerciales a que se refiere el párrafo 1.—*e)* del Artículo II significan:

a) fijación de precios, términos o condiciones que hayan de observarse al tratar con otros en la compra, venta o arrendamiento de cualquier producto;

b) exclusión de empresas de mercados territoriales o campos de actividad comercial, asignación o división de los mismos, o asignación de clientes o fijación de cuotas de ventas o compras;

c) discriminación contra determinadas empresas;

d) limitación o fijación de cupos de producción;

e) evitación, por acuerdo, del desarrollo o aplicación de progresos técnicos o de inventos patentados o sin patentar;

f) extensión del uso de derechos patentados, marcas registradas o derechos de propiedad industrial, concedidos por cualquiera de los dos países, a materias que—de acuerdo con sus leyes y reglamentos—no pueden ser objeto de tales concesiones o a productos, condiciones de producción, uso o venta que tampoco pueden ser objeto de dichas concesiones; y

g) aquellas otras prácticas que ambos Gobiernos acuerden incluir.

4.—Queda entendido que el Convenio a que se hace referencia en el párrafo 1.—*f)* del Artículo II deberá contener un sistema de conversión de los saldos en pesetas que tenga en cuenta, en cada momento, las fluctuaciones en las disponibilidades españolas de dólares.

5.—Queda entendido que los Estados Unidos de América no proyectan revender dentro de España ninguno de los productos que adquieran de conformidad con el párrafo 1 del Artículo IV.

6.—Queda entendido que el momento de la notificación, a que se hace referencia en el párrafo 2, Artículo V, a efectos de determinar el tipo de cambio que será usado al computar los depósitos que se han de efectuar como consecuencia de las notificaciones al Gobierno español de los indicados costes en dólares de las mercancías, servicios e información técnica, se considerará, en el caso de toda notificación que cubra un período de pago, el de la fecha del último día del período de pago cubierto por la misma.

7.—Queda entendido que el sentido y la intención de la última frase del párrafo 2 del Artículo V es que el Gobierno español adoptará medidas para asegurar que las sumas en pesetas depositadas en la Cuenta Especial son suficientes en todo momento para permitir al Gobierno de los Estados Unidos de América atender sus obligaciones de pago en pesetas para los fines previstos en este Convenio. Los Estados Unidos de América informarán al Gobierno español, siempre que sea necesario, de sus necesidades en pesetas y están de acuerdo en que sus peticiones al Gobierno español para atender dichas necesidades no deberán exceder del importe de la asistencia económica y técnica asignada en firme a España con carácter de donación en el momento de hacer dichas peticiones.

79

— 8318 —

CORTES ESPAÑOLAS   5 DE OCTUBRE DE 1953.—NÚM. 437

8.—Queda entendido que todo acuerdo a que pueda llegarse de conformidad con el párrafo 1 del artículo IX quedaría sujeto a la aprobación del Senado de los Estados Unidos de América.

CONVENIO DEFENSIVO ENTRE ESPAÑA Y LOS ESTADOS UNIDOS DE AMERICA

Preámbulo.

Frente al peligro que amenaza al Mundo Occidental, los Gobiernos de los Estados Unidos y de España, deseosos de contribuir al mantenimiento de la Paz y de la Seguridad Internacional, con medidas de previsión que aumenten su capacidad y la de las demás naciones que dedican sus esfuerzos a los mismos altos fines, para poder participar eficazmente en acuerdos sobre la propia defensa;

Han convenido lo siguiente:

Artículo I

En consonancia con los principios pactados en el Convenio relativo a la Ayuda para la Mutua Defensa, estiman los Gobiernos de los Estados Unidos y de España que las eventualidades con que ambos países pudieran verse enfrentados, aconsejan que sus relaciones se desenvuelvan sobre la base de una amistad estable, en apoyo de la política que refuerza la defensa del Occidente. Esta política comprenderá lo siguiente:

1.—Por parte de los Estados Unidos, el apoyo del esfuerzo defensivo español, para los fines convenidos, mediante la concesión de asistencia a España en forma de suministro de material de guerra y a través de un periodo de varios años, a fin de contribuir a la posible cooperación de la industria española, a la eficaz defensa aérea de España y para mejorar el material de sus fuerzas militares y navales en la medida en que se convenga en conversaciones técnicas a la vista de las circunstancias. Tal apoyo estará condicionado, como en el caso de las demás naciones amigas, por las prioridades y limitaciones derivadas de los compromisos internacionales de los Estados Unidos y de las exigencias de la situación internacional y supeditado a las concesiones de crédito por el Congreso.

2.—Como consecuencia de las premisas que anteceden y a los mismos fines convenidos, el Gobierno de España autoriza al Gobierno de los Estados Unidos, con sujeción a los términos y condiciones que se acuerden, a desarrollar, mantener y utilizar para fines militares, juntamente con el Gobierno de España, aquellas zonas e instalaciones en territorio bajo jurisdicción española que se convenga por las Autoridades competentes de ambos Gobiernos, como necesarias para los fines de este Convenio.

3.—Al conceder asistencia a España, dentro de la política expresada, mientras avance la preparación de las zonas e instalaciones acordadas, el Gobierno de los Estados Unidos satisfará, a tenor de lo dispuesto en el apartado 1, las necesidades mínimas de material requeridas para la defensa del territorio español, con el fin de que si llegare un momento en que se hiciera necesaria la utilización bélica de las zonas e instalaciones, se hallen cubiertas en la medida de lo posible las necesidades previstas en orden a la defensa aérea del territorio, y a la dotación de sus unidades navales, y lo más adelantado posible el armamento y dotación de las unidades de su Ejército.

Artículo II

A los fines de este Convenio y de conformidad con los Acuerdos técnicos que sean concertados entre las Autoridades competentes de ambos Gobiernos, se autoriza a los Estados Unidos a preparar y mejorar las zonas e instalaciones convenidas para uso militar y realizar; en cooperación con el Gobierno de España, las construcciones necesarias a tal fin, para acuartelar y alojar el personal civil y militar indispensable en las mismas y atender a su seguridad, disciplina y bienestar; a almacenar y custodiar provisiones, abastecimientos, equipo y material; y a mantener y manejar las instalaciones y servicios necesarios en apoyo de dichas zonas y de su personal.

Artículo III

Las zonas que en virtud de este Convenio se preparen para su utilización conjunta, quedarán siempre bajo pabellón y mando español, y España asumirá la obligación de adoptar las medidas necesarias para su seguridad exterior. Sin

80

embargo, los Estados Unidos podrán, en todo caso, ejercer la necesaria vigilancia sobre el personal, instalaciones y equipo estadounidenses.

El momento y la forma de utilización bélica de dichas zonas e instalaciones, serán fijados de mutuo acuerdo.

ARTÍCULO IV

El Gobierno de España adquirirá, libres de toda carga y servidumbre, los terrenos que puedan ser necesarios para fines militares y conservará la propiedad del suelo y de las obras de carácter permanente que se construyan. El Gobierno de los Estados Unidos se reserva el derecho de retirar todas las demás construcciones e instalaciones hechas a sus expensas cuando lo estime conveniente o cuando este Convenio sea cancelado. En ambos casos podrán ser adquiridas, previa tasación, por el Gobierno español, siempre que no se trate de instalaciones de índole reservada.

El Estado Español se hará cargo de toda reclamación formulada al Gobierno de los Estados Unidos por tercera persona, en los casos que se refieran a la propiedad y utilización de los terrenos arriba aludidos.

ARTÍCULO V

El presente Convenio entrará en vigor al ser firmado y estará vigente por una duración de diez años, automáticamente prorrogados por dos períodos sucesivos de cinco años cada uno, de no seguirse el procedimiento de cancelación que a continuación se detalla.

A la terminación de los diez años iniciales o de cualquiera de las dos prórrogas de cinco años, cualquiera de los dos Gobiernos puede informar al otro de su propósito de cancelar el Convenio, iniciándose con ello un período de consultas de seis meses. En caso de no haber conformidad sobre la prórroga, este Convenio caducará al año de concluir el período de consultas.

AVISO

La ponencia que ha de informar el convenio entre España y Norteamérica, está formada por los señores Procuradores que se relacionan:

Aunós Pérez (D. Eduardo);

Bastarreche y Díaz de Bulnes (D. Francisco); y

Conde García (D. Francisco Javier).

Sucesores de Rivadeneyra. S. A.—Madrid

El 30 de noviembre se leía en las Cortes Generales[17] un mensaje del general Franco en el que daba a conocer los acuerdos con Norteamérica.

La importancia de este pacto fue fundamentalmente militar, ya que significó el establecimiento de Bases de utilización conjunta en territorio español. La firma de estos convenios supuso para España, ayuda económica y militar, además del adiestramiento de los mandos, pero no incluía un compromiso de seguridad mutua. Tenía una vigencia —de obligado cumplimiento por España, no así por los EE.UU., que podían romper el convenio en cualquier momento según su conveniencia—, de diez años, repartidos en dos prórrogas de cinco años cada una.

Por el rigor que confiere transmitir la historia para su auténtico conocimiento hay que decir, que oficialmente se omitieron al conocimiento público aspectos relevantes contemplados en los convenios que suponían cierto menoscabo incluso, de la propia soberanía de los españoles sobre las decisiones tomadas en su propio territorio, que incumbían a la utilización de una parte del territorio nacional para uso exclusivo de los EE.UU., sobre sus bases americanas como si de una embajada se tratara.

Si bien se ha constatado que las relaciones del presidente Truman con el general Franco, no fueron fructíferas para ninguna de las partes, la situación cambió radicalmente con el presidente Eisenhower. No cabe duda que Franco tuvo que ceder —más de lo deseado—, pero la necesidad de reconocimiento mundial para abrirse al mercado internacional, la ayuda económica para la reindustrialización y como no, los convenios de colaboración y ayuda militar, hicieron decantar al general Franco por ceder cuotas de soberanía, aunque estas nunca fueran hechas públicas por el

---

[17] Boletín Oficial de las Cortes Españolas, nº 447, Sesión Plenaria del día 30 de noviembre de 1953.

régimen. Por ejemplo, la ayuda y colaboración militar solo afectaba al «peligro comunista», como quedó bien demostrado durante la guerra del Sahara-Ifni declarada entre España y Francia contra Marruecos que se produjo entre el 23 de noviembre del año 1957 y el 30 de marzo del año 1958, en el protectorado español en Marruecos con capital en Juby, Ifni y Sahara español, resueltos en el Acuerdo de Cintra[18]. Todo ello seguido muy de cerca por los EE.UU., pero manteniéndose al margen, al menos en lo que respecta a la presencia militar en favor de uno u otro bando.

Las versiones tras la muerte del general Franco sobre quién se benefició más de los acuerdos del 53, mayoritariamente dan mayor rédito a los EE.UU., frente a España que cedió el uso de territorio y aguas nacionales a una potencia extranjera en desiguales condiciones.

Estos acuerdos representaron para España el inicio de un reconocimiento internacional al régimen establecido tras la finalización de la Guerra Civil española, fortaleciendo su hegemonía en el interior.

Posteriormente España fue admitida e integrada en el mes de diciembre del año 1955 en la Organización de las Naciones Unidas (ONU) hasta hodierna, en el que España tiene un papel relevante en la esfera internacional, siendo respetada tanto en lo político como económico.

---

[18] Acuerdo firmado en la ciudad portuguesa de Cintra, el día 1 de abril de 1958. España entregó Cabo Juby y la ciudad de Villa Bens, provincia de Tafaya.

5ª Parte

Petición de apoyo de los EE.UU., a España

Tras los acuerdos alcanzados en Ginebra en el año 1954, los Estados Unidos mantuvieron personal diplomático en Vietnam del Sur, tratándose en realidad de asesores militares con la función de formar a la fuerza de Irregulares establecidos en Tây Nguyên al sur de Vietnam. El despliegue norteamericano tenía muy limitados sus movimientos y acciones, aunque se los saltaban hasta el punto de sumar algunos fallecidos durante los combates y enfrentamientos mantenidos con los guerrilleros[19] que desde el Frente de Liberación Nacional del Vietnam actuaban como infiltrados.

El equipo de asesores e informadores norteamericanos durante el año 1964, estuvo remitiendo y detallando informes a la Casa Blanca indicando que, la situación lejos de apaciguarse, se inclinaba muy favorablemente hacia los intereses de Vietnam del Norte.

Estados Unidos, decidió entonces enviar parte de su Armada desplegada en el Pacífico hacia las aguas del mar de China. Así, durante el mes de agosto se produjeron «dos» confrontaciones, según el argumentario oficial del momento.

El primero fue el día 2 de agosto del año 1964 cuando la flota norteamericana encabezada por el destructor Maddox se adentraba en el golfo del Tonkín, siendo interceptados por tres patrulleras de la Armada de Vietnam del Norte equipadas con torpedos que no dudaron en lanzar contra el destructor, sorteando éste su alcance variando el rumbo. Se inició entonces un intercambio de disparos entre las baterías del destructor y las ametralladoras de la flotilla norvietnamita, momento en el que el capitán americano; John Jerome Herrick, solicita la ayuda de la

---

19.- Norvietnamitas infiltrados en el FLN, más conocidos como Viêt Công.

Ilustración 17 Destructor U.S.Navy Maddox (DP)

Ilustración 18 Portaaviones U.S.Navy Ticonderoga (DP)

aviación que se encontraba lista para la acción en la cubierta de vuelo del portaaviones USS Ticonderoga, del que partieron cuatro cazas que pronto localizaron la flotilla norvietnamita, lanzando sus ráfagas de ametralladora que dañaron gravemente a las tres patrulleras que tuvieron que regresar al puerto base.

El segundo combate fechado el día 4 de agosto, nunca tuvo lugar y formó parte de unos informes alterados[20]. El comandante James Stockdale, piloto de uno de los Douglas A4D Skyhaw, que despegó del portaaviones; USS Oriskany CV-34, sobrevolando la zona del supuesto combate, declaró sobre el incidente:

«Estaba sobrevolando el área..., los destructores mantenían apagadas todas las luces de cubierta. Por la radio, se podían escuchar las conversaciones entre el USS Maddox y el USS Turner Joy, recibían intermitencias inespecíficas en sus radares de a bordo procediendo a disparar en dirección a los ecos. Puse rumbo hacia la zona a ciegas para eliminar al posible objetivo enemigo y allí... no había ningún buque, tampoco patrulleras..., nada físico que amenazara o abriera fuego contra nuestros destructores...».

Este segundo «NO INCIDENTE», fue el *casus belli* para la total participación en la guerra de los EE.UU., siendo aprobada por el congreso norteamericano el día 7 de agosto, quedando propuesta la; Resolución del Golfo de Tonkín (Southeast Asia Resolution, Public Law 88-408) en la que se concedía al presidente de los

---

20.- Una vez desclasificados por la Agencia de Inteligencia de Seguridad Nacional los informes sobre la guerra de Vietnam, se ha sabido que este segundo combate no se llegó a producir y sin embargo sirvió para la convocatoria del congreso norteamericano para validar la intervención en el territorio vietnamita. La duda sobre otras intervenciones de EE.UU., en guerras fuera de su territorio, queda expuesta a la duda...

EE.UU., la total capacidad de decisión sobre la implicación de Norteamérica en la República Democrática de Vietnam, sin previa declaración formal por parte del Congreso del uso de la fuerza militar en territorio extranjero.

Se puede asegurar que los más de 58.000[21] soldados americanos que perdieron la vida en Vietnam —no se contabilizan los desaparecidos ni heridos—, fueron enviados a un conflicto armado en base a unos informes falseados por intereses espurios, que iban más allá de intentar contener la expansión comunista en Asia.

En julio de 1965, ante el cariz que estaba tomando la guerra del Vietnam, el presidente de los Estados Unidos; Lyndon Baines Johnson, envió cartas a varios jefes de Estado occidentales, entre ellos al general Francisco Franco.

El embajador en España; Angier Biddiey Duke fue recibido por el jefe del Estado español, haciéndole entrega de la misiva remitida por su presidente en la que hacía referencia al convenio alcanzado en el año 1953, por la que le solicitaba colaboración en la guerra de Vietnam[22.]

---

[21].- La cifra ha sido extraída de fuentes «oficiales» siendo ésta la más repetida, no significa que sea la definitiva, dado que existen diferentes contabilizaciones.
22.- Con el fin de ofrecer al leedor la mayor fidelidad de la narración, se incluye el contenido literal de la misiva, extraída del archivo Nacional.

Excelencia:

He rogado a mi embajador le transmita mi sincero enjuiciamiento de la situación en Vietnam del Sur.

En los últimos meses se ha incrementado la agresión abierta contra el pueblo y el Gobierno del Vietnam y les han sido impuestas muy graves cargas a las fuerzas armadas y al pueblo vietnamita.

Durante dicho período, como V.E., conoce, y a causa de la firme y rígida oposición de Hanoi y Pekín, no han podido tener éxito los reiterados y constructivos esfuerzos realizados por muchos gobiernos para llevar este problema a la mesa de conferencias.

A lo largo de estos últimos días he estado revisando la situación a la luz de recentísimos informes, procedentes de mis colaboradores de mayor confianza. Aunque aún no se han adaptado decisiones definitivas, puedo decirle que parece seguro será necesario incrementar las Fuerzas Armadas de los Estados Unidos en un número que podría igualar, o ser superior, al de los 80.000 hombres que se encuentran ya allí.

Deseo sepa V.E., que al propio tiempo que realizamos este importante esfuerzo adicional, continuaremos haciendo todo posible esfuerzo político y diplomático para abrir paso a un arreglo pacífico.

Continuaremos también usando toda clase de prudencia y moderación para evitar que la guerra pueda extenderse en el continente asiático. Nuestro objetivo sigue siendo el de que finalice en Vietnam toda injerencia exterior de forma que el pueblo de dicho país pueda decidir su propio futuro.

En esta situación debo expresarle mi profunda convicción personal de que las perspectivas de paz en Vietnam aumentarán grandemente en la medida en que los necesarios esfuerzos de los Estados Unidos sean apoyados y compartidos por otras naciones que comparten nuestros propósitos y nuestras preocupaciones. Sé que su Gobierno ha mostrado ya su interés y preocupación concediendo asistencia.

Le pido ahora que considere seriamente la posibilidad de incrementar dicha asistencia mediante métodos que indiquen claramente al mundo y quizás especialmente a Hanoi— la solidaridad del apoyo internacional a la resistencia contra la agresión en Vietnam y al establecimiento de la paz en dicho país.

He pedido al embajador Duke se ponga a su disposición para cualquier consulta que desee hacerle sobre este asunto.

Sinceramente.

Lyndon B. Johnson
PRESIDENTE DE LOS EE.UU. DE AMÉRICA

Como se transcribe en el texto, el presidente de EE. UU. le da cuenta al general Franco de la situación bélica que se vive en Vietnam y reclama «alguna» ayuda efectiva por parte de España, sin descartar la colaboración militar...

El presidente americano, tiró de ucronía para solicitar la colaboración de los países aliados, de otra forma es posible que el resultado hubiera sido otro.

La respuesta del jefe del Estado español[23] fue redactada y entregada en mano al propio embajador Duke.

23.- Con el fin de ofrecer al leedor la mayor fidelidad de la narración, se incluye el contenido literal de la misiva, extraída del archivo Nacional.

Mi querido Presidente Johnson:

Mucho le agradezco el sincero enjuiciamiento que me envía de la situación en el Vietnam del Sur y los esfuerzos políticos y diplomáticos que, paralelamente a los militares, los Estados Unidos vienen desarrollando para abrir paso a un arreglo pacífico. Comprendo vuestras responsabilidades como nación rectora en esta hora del mundo y comparto vuestro interés y preocupación, de los que los españoles nos sentimos solidarios en todos los momentos. Comprendo igualmente que un abandono militar de Vietnam por parte de los Estados Unidos afectaría a todo el sistema de seguridad del mundo libre.

Mi experiencia militar y política me permite apreciar las grandes dificultades de la empresa en que os veis empeñados: la guerra de guerrillas en la selva ofrece ventajas a los elementos indígenas subversivos que con muy pocos efectivos pueden mantener en jaque a contingentes de tropas muy superiores; las más potentes armas pierden su eficacia ante la atomización de los objetivos; no existen puntos vitales que destruir para que la guerra termine; las comunicaciones se poseen en precario y su custodia exige cuantiosas fuerzas. Con las armas convencionales se hace muy difícil acabar con la subversión. La guerra en la jungla constituye una aventura sin límites.

Por otra parte, aun reconociendo la insoslayable cuestión de prestigio que el empeño pueda presentar para vuestro país, no se puede prescindir de sopesar las consecuencias inmediatas al conflicto. Cuanto más se prolongue la guerra, más empuja al Vietnam a ser fácil presa del imperialismo chino, y aun suponiendo que pueda llegar a quebrantarse la fortaleza del Vietcong, subsistirá por mucho tiempo la acción larvada de las guerrillas, que impondrá la ocupación prolongada del país en que

96

siempre seréis extranjeros. Los resultados, como veis, no parecen estar en relación con los sacrificios.

La subversión en el Vietnam, aunque a primera vista se presente como un problema militar, constituye, a mi juicio, un hondo problema político; está incluido en el destino de los pueblos nuevos. No es muy fácil desde Occidente comprender la entraña y la raíz de sus cuestiones. Su lucha por la independencia ha estimulado sus sentimientos nacionalistas; la falta de intereses que conservar y su estado de pobreza les empuja hacia el socialcomunismo, que les ofrece mayores posibilidades y esperanzas que el sistema liberal patrocinado por Occidente, que les recuerda la gran humillación del colonialismo.

Los países se inclinan en general al comunismo, porque, aparte de su poder de captación, es el único camino eficaz que se les deja. El juego de las ayudas comunistas rusa y china viene siendo para ellos una cuestión de oportunidad y de provecho.

Es preciso no perder de vista estos hechos. Las cosas son como son y no como nosotros quisiéramos que fueran. Se necesita trabajar con las realidades del mundo nuevo y no con quimeras. ¿No es Rusia una realidad con la que ha habido que contar? ¿No estaremos en esta hora sacrificando el futuro a aparentes imperativos del presente?

A mi juicio, hay que ayudar a estos pueblos a encontrar su camino político, lo mismo que nosotros hemos encontrado el nuestro.

Ante los hechos nuevos, no es posible sostener la rigidez de las viejas posiciones. Una cosa es lo que puedan acordar las grandes naciones en Ginebra y otra es el que tales decisiones agraden a los pueblos. Es difícil de defender en el futuro y ante los ojos del mundo esa división artificial de los países, que si fue conveniencia de momento dejará siempre abierta una aspiración a la unidad.

Comprendo que el problema es muy complejo y que está presidido por el interés americano de defender a las naciones del sudeste asiático de la amenaza comunista; pero siendo ésta de carácter eminentemente político, no es sólo por la fuerza de las armas como esta amenaza puede desaparecer.

Al observar, como hacemos, los sucesos desde esta área europea, cabe que nos equivoquemos. Guardamos sin embargo, la esperanza de que todo pueda solucionarse, ya que en el fondo, los principales actores aspiran a lo mismo: los Estados Unidos, a que el comunismo chino no invada los territorios del sudeste asiático; los Estados del sudeste asiático, a mantener a China lo más alejada de sus fronteras; Rusia, a su vez, a que su futura rival, China, no se extienda y crezca, y Ho Chi Minh, por su parte, a unir al Vietnam en un Estado fuerte y a que China no lo absorba.

No conozco a Ho Chi Minh, pero por su historia y sus empeños en expulsar a los japoneses primero, a los chinos después y a los franceses más tarde, hemos de conferirle un crédito de patriota, al que no puede dejar indiferente el aniquilamiento de su país. Y dejando a un lado su reconocido carácter de duro adversario, podría sin duda ser el hombre de esta hora, el que el Vietnam necesita.

En este interés superior de salvar al pueblo vietnamita y a los pueblos del sudeste asiático, creo que vale la pena de que todos sacrifiquen algo.

He deseado, mi querido Presidente, haceros estas reflexiones confidenciales en el lenguaje directo de la amistad.

Sé que muchas están en vuestro ánimo, le expongo lealmente mi juicio con el propósito de ayudar al mejor servicio de la paz. y del futuro de los pueblos asiáticos.

Su buen amigo,

Francisco Franco
JEFE DEL ESTADO ESPAÑOL

Ilustración 19 Lyndon B. Johnson - General Francisco. Franco.
https://lacritica.eu/noticia/2498/inigo-castellano-baron/con-sus-erraticas-politicas-
occidente-fracasa-en-el-medio-y-lejano-oriente.html

No se han de tener complejos al reconocer que el general Franco, era no solo un estratega militar de alto nivel, también como conocedor del pasado de nuestro ejército y el clero en Vietnam a través de los escritos registrados en los archivos militares y eclesiásticos, donde se daba rigurosa cuenta escrita de la difícil empresa que suponía entrar en guerra en un territorio por naturaleza hostil, agravado por el completo conocimiento del mismo de sus guerrilleros, convirtiéndolos en fantasmas ante los ojos del enemigo detrás de una; Lanonia Dasyantha[24], cualquier otra planta o árbol de la enorme vegetación de la selva monzónica vietnamita.

En la respuesta del general Franco destacan por su objetividad, varios párrafos donde protocolariamente aventura cual será el más que posible desenlace final para los Estados Unidos en esa parte del mundo.

Las consideraciones que el general Franco hace sobre la figura del líder vietnamita, Ho Chi Minh, no son más que el reconocimiento de un buen estratega sobre el enemigo que tiene delante. Franco, sabía que el líder Ho Chi Minh tenía muy claro el destino que quería su pueblo, que no era otro que ser independiente de cualquier potencia extranjera. A lo largo de su historia así lo vino haciendo con los chinos, los rusos y los franceses. No sucedió con España porque en el momento en el que se retiró en el año 1862, quedó claro que no se podía seguir exponiendo la vida de inocentes en una empresa fallida desde su inicio en el que ningún interés territorial español se veía amenazado, la presencia en la zona —entonces—, estaba sobradamente representada en Filipinas, eso sí, sin conocer lo que sucedería en el año 1896... La forma de concebir la sociedad en esa parte del continente

---

24.- Palmera paradisíaca vietnamita.

euroasiático se fundamentaba —y todavía hoy es así— en la colectividad, esto es, ante todo y sobre todo, el bien común. Para nada se valora lo individual, menos aún lo personal. Si por el bien general, hay que sacrificar los beneficios personales, no se duda en aplicar la concepción del principio desde la raíz.

El jefe del Estado español, no estaba dispuesto a enviar soldados españoles a lo que sabía era una muerte segura y una guerra perdida, por lo que su decisión fue del todo atinada aunque no de la plena satisfacción del presidente americano, pero sí de acuerdo a los intereses de España que respetaba fielmente el convenio suscrito con el envío de sanitarios voluntarios del ejército y permitiendo —no podía ser de otra forma—, el uso de las bases americanas en territorio español, dando así por cumplida la implicación de España en el conflicto bélico, desplegando la ayuda militar humanitaria.

El general Franco dio instrucciones al ministerio del Ejército para informar sobre la campaña compuesta por médicos militares voluntarios que quisieran auxiliar a los heridos que sin duda se producían a diario en la selva vietnamita, haciéndose cargo el área de Sanidad del ministerio.

La misión se calificó como «secreta», no dando pábulo a la opinión pública y tampoco en su plenitud a las Cortes Generales, por lo que apenas existe documentación en los archivos. La misión se inscribió oficialmente en el marco de los acuerdos entre España y Estados Unidos a través de la Oficina de Asistencia Militar del Mundo Libre (FWMAO)[25] y el servicio quedó bautizado como: Misión Sanitaria de Ayuda al Vietnam del Sur.

---

[25] Oficina de Asistencia Militar del Mundo Libre(Free World Military Assistance Office)

Ilustración 20 Presidente de la República Democrática de Vietnam, Hô chi Minh. (DP)

6ª Parte

Misión Sanitaria en Vietnam del Sur.

Nota del autor:

Miguel de la Quadra-Salcedo periodista y reportero de televisión española enviado especial para cubrir la información sobre el conflicto bélico en Vietnam, llegó a decir:

«La sensibilidad de hombres y mujeres es distinta. Creo que quizás ellas analicen con más delicadeza el papel de las mujeres en las guerras perdidas...».

En referencia a que las historias de interés humano eran relatadas con más intensidad por las reporteras, en contra de los relatos con detalles más belicistas y escabrosos redactados por los reporteros.

Con ello se viene a incidir sobre algo que ha sucedido y sucede en todas las guerras que se producen en cualquier lugar del mundo. El horror humano alcanza límites insospechables en situación y vida en paz. Poco se refiere sobre los daños denominados «colaterales» que se desarrollan entorno a la coexistencia del ejército invasor con la población aborigen.

El leedor se preguntará ¿a qué viene lo anterior? Sencillamente para realzar la misión de nuestros voluntarios españoles que tan olvidados y silenciados fueron, más allá del discreto reconocimiento castrense.

Nuestros médicos y enfermeros del ejército, fueron reconocidos por sus servicios por los dos bandos principales enfrentados. En estricto cumplimiento de su misión humanitaria, no distinguían entre heridos aliados o enemigos así, se operaba y curaba de igual manera e interés a un marine, soldados survietnamitas como a un guerrillero del Vietcong, en cumplimiento del Primer Convenio de Ginebra firmado en el año 1864, ratificado en 1949, junto con otros tratados, y nada se dijo de ellos.

Tras el urgente requerimiento del Secretario de Estado[26] Dean Rusk al general Francisco Franco, insistiendo en la necesidad del envío de médicos a la provincia de Gò Công, el teniente General Cesar Mantilla Lautrec, Jefe del Estado Mayor del Ejército de Tierra, cursó la orden que finalmente llegó en abril del año 1966 a la Jefatura de Sanidad militar con la comunicación de reclutar entre el personal sanitario, al menos doce voluntarios para componer una primera misión de carácter humanitario con destino a la guerra de Vietnam, quedando la unidad sanitaria-militar bajo las órdenes del ejército norteamericano. El destino volvía a requerir la presencia de soldados españoles en el delta del Mekong.

Antes que España, otras naciones habían enviado equipos sanitarios al conflicto bélico; Alemania, Italia, Reino Unido Australia, Irán, Corea del Sur, Nueva Zelanda, entre otros, curiosamente Francia se puso de perfil tomando una postura desfavorable a la intervención de los EE.UU., según se desprende del discurso orado por el general Charles De Gaulle en el año 1966 durante su visita a Camboya, donde especulaba sobre su probable representación del gobierno norvietnamita para entablar negociaciones de paz. El general De Gaulle condenó sin ambages la irrupción norteamericana en el conflicto.

Las misiones se componían con doce miembros siendo relevados cada seis meses excepto el primer contingente que permaneció un año. Cada misión era reforzada con un administrador.

Los sanitarios españoles contaban con una sugestiva motivación económica ya que además de la retribución salarial correspondiente a su rango, se sumaba una gratificación mensual abonada por los EE.UU., que vendrían a suponer

---

26.- Equivalente al cargo de Ministro de Exteriores en España.

aproximadamente unas cuarenta y cinco mil pesetas mensuales, (+- 270€/mes) sin distinción de grado.

Los doce primeros voluntarios ya alistados entre médicos, cirujanos y enfermeros con el comandante Argimiro García Granados al mando del operativo, fueron entrevistados e instruidos unos días antes de partir por el ministro de Sanidad de Vietnam del Sur, doctor Nguyen Bakhan, junto con su asistente técnico, doctor Van Thieu, acompañados en todo momento por el subdirector general de Sanidad de España; doctor Pérez Pardo.

Durante la charla se les informó sobre los detalles médico-sanitarios que se iban a encontrar en la zona y las prioridades de atención.

Ilustración 21 Recorrido desde Madrid a Saigón

El día seis de septiembre del año 1966 parte del aeropuerto de Madrid-Barajas un vuelo comercial destino Roma portando a bordo los componentes españoles de la misión humanitaria y su equipo, con destino final en Gò Công. Llegaron el día ocho a Saigón (Ho Chi Minh) tras hacer escalas en Karachi y Bangkok. Fueron recibidos por el director del gabinete de Sanidad, doctor Nguyen Tan Loc que les acompañó al hotel donde aguardarían un par de días antes de desplazarse en helicóptero a su destino final en Gò Công.

Cuando llegó el primer reemplazo de los voluntarios españoles un suboficial estadounidense —sin identificar—, durante la recepción de bienvenida se dirigió al Brigada Outón al que le comentó:

«...habéis venido doce, con suerte regresaréis tres o cuatro en el mejor de los casos. A los sanitarios son los primeros a quienes disparan los guerrilleros del Vietcong...».

Sin duda esas palabras de «ánimo», no hicieron decaer las intenciones de los voluntarios y afortunadamente durante las tres misiones en las que estuvieron presentes nuestros sanitarios, no se registró ninguna baja. No obstante no hay que interpretar la desafortunada observación como un interés en desanimar, sino más bien ajustado a la realidad que padecían los sanitarios estadounidenses, cuya presencia era para atender a heridos propios y/o aliados, desatendiendo al resto.

Los militares sanitarios españoles fueron alojados en una antigua mansión colonial francesa, bajo unas condiciones de habitabilidad aceptables dentro del entorno belicoso en el que se encontraban. El comandante Argimiro, ordenó izar la bandera española en el mástil en cumplimiento del protocolo militar, siempre que las circunstancias lo permitieran.

Nuestros sanitarios se incorporaron al hospital civil y militar de Trương Công Định. Bajo sus blancas batas portaban el uniforme militar norteamericano con el distintivo español de la misión sanitaria en la manga alta del brazo derecho.

Ilustración 22 Distintivo de los médicos y sanitarios españoles en Vietnam.
https://jdiaz474.wordpress.com/2021/02/13/de-espanoles-en-go-cong/

Al hacerse cargo de sus responsabilidades es cuando realmente se dieron cuenta de la enorme precariedad de las instalaciones sanitarias en general. El aforo no alcanzaba las doscientas camas hospitalarias lo que significaba no alcanzar si quiera, la mitad de los pacientes ingresados más los que esperaban asistir que no bajaban de cien enfermos diarios sin contar a los acompañantes, dado que el hospital era el único centro sanitario en kilómetros a su alrededor. «Afortunadamente» las camas eran grandes y anchas, lo que permitía el colecho con enfermos de similares patologías.

La precariedad de las instalaciones afectaba a algo tan esencial como la regularidad del suministro eléctrico que sufría continuos cortes, siendo reforzada por equipos electrógenos. El agua además significaba otro desafío, la salubridad era algo a tener en cuenta y valorar antes de convertirse en un aliado más de las afecciones.

Asumiendo las dificultades añadidas con las que tendrían que lidiar y recordando a San Lupo de Troyes; «*si no puedes vencer a tu enemigo, únete a él*», aplicaron las soluciones como si de un hospital de campaña se tratara, la diferencia esencial era que en lugar de paredes y cubiertas de lonas, eran de cemento. La autosuficiencia operativa debería ser la norma. Cada facultativo se dispuso a poner orden en su área profesional, así se hicieron cargo de cirugía, medicina general y en especial pediatría, siendo ésta la más requerida y menos representada por el colectivo, ya que como pediatra tan solo se contaba con el brigada Baz.

El director del hospital era el doctor cirujano; Bac-Si Bahao especialista en obstetricia, la enfermería estaba cubierta fundamentalmente por personal femenino aborigen. Para comunicarse empleaban el francés como idioma vehicular, dada la coexistencia francesa durante años en la zona, no significando una dificultad para entenderse con relativa facilidad.

La medicación era suministrada por el ejército norteamericano, existiendo gran carencia en general y especialmente de plasma, motivo por el cual la mortandad era más de la que se hubiera podido evitar con un suministro mayor. Las patologías más frecuentes que presentaban los civiles eran; gastroenteritis, cólera, problemas hepáticos e intestinales, lepra, paludismo y otras con menos relevancia.

En lo referente a la atención y asistencia por heridos en las muchas escaramuzas diarias, las más lo eran por heridas de bala, metralla, minas antipersona, sin obviar las gravísimas quemaduras por napalm que afectaban tanto al Vietcong como a los civiles sin distinción durante los bombardeos.

Ilustración 23 Imagen icónica de Kim- Mortagen
https://www.sutelemundo20.com/story/30355404/la-nia-del-napalm-kim-phuc-se-atiende-cicatrices-con-lser-en-eeuu/

El cometido de nuestros sanitarios era diverso, llevaban a cabo visitas periódicas a poblados del entorno, atendiendo tanto a militares en sus puestos de control como a civiles. Durante los primeros meses de la presencia de los sanitarios españoles, los guerrilleros del Vietcong, hostigaban a los pobladores de las aldeas por aceptar la ayuda sanitaria que nuestros voluntarios prestaban a sus conciudadanos. En estas misiones, el mayor riesgo para las vidas de los voluntarios españoles, era durante el trayecto que llevaban a cabo con Jeep entre los arrozales y la espesa jungla. Generalmente la misión era precedida por un vehículo blindado para detectar minas, además el entorno era muy favorable y propicio para emboscadas donde los francotiradores se camuflaban con facilidad entre el espesor selvático.

Al mismo tiempo durante las consultas médicas, los practicantes procedían a vacunar a los aldeanos niños y adultos (cólera, difteria, hepatitis, entre otras...) Esta zona no fue afectada por el «Agente Naranja», herbicida esparcido por la aviación norteamericana con el objeto de deshojar la espesa jungla que servía de camuflaje natural al Vietcong y facilitar su detección. Las consecuencias del agente químico todavía hoy se hacen sentir en las zonas más afectadas[27].

La labor que realizaban nuestros sanitarios, finalmente fue reconocida por los guerrilleros del Vietcong al comprobar que sus propios heridos eran atendidos sin distinción de procedencia, origen u otra causa.

Seguramente el momento más delicado en el que nuestros sanitarios se vieron envueltos, fue durante la ofensiva del Têt.

Võ Giáp, general del ejército Popular de Vietnam, experto estratega veterano de la Primera Guerra de Indochina, durante la

---

[27] En 1984, una acción judicial impulsada por veteranos de guerra estadounidenses contra las compañías químicas suministradoras del Agente Naranja, entre ellas Dow Chemical, Monsanto, Diamond Shamrock, Hércules Inc., TH Agricultural & Nutrition Company, Thompson Chemicals Corporation, y Uniroyal Inc. Finalmente se resolvió en un acuerdo de 93 millones de dólares estadounidenses en indemnizaciones para los soldados, por daños a la salud.

Sin embargo, las demandas presentadas por la Asociación Vietnamita de Víctimas del Agente Naranja VAVA. (Vietnamese Association of Victims of Agent Orange), fueron rechazadas. Según el juez Jack Weinstein: «no existen bases legales que justifiquen las demandas de los 4.000.000 de víctimas vietnamitas del agente naranja». Se da la circunstancia que el juez Jack Weinstein es el mismo que en 1984 llevó el caso de los veteranos de guerra estadounidenses.

noche del 30 al 31 de enero de 1968 ordenó el comienzo la primera fase de la ofensiva del Têt, consistente en infiltrarse los soldados del ejército de Vietnam del Norte entre los aldeanos de seis provincias diferentes del Sur, donde se encontraban enclaves fundamentales para los intereses norteamericanos.

El día no fue elegido al azar por Võ Giáp, coincidía con la celebración del año nuevo lunar que en Vietnam se celebra con la primera luna llena entre el solsticio de invierno y el equinoccio de la primavera, el llamado Têt Trung Thu[28,] que se celebra masivamente por los vietnamitas en general con gran cantidad de fuegos artificiales y estruendos, se pasaba del año del Mono al año del Gallo según su horóscopo. La masiva celebración permitiría una infiltración más desapercibida en las poblaciones por ser una fiesta tan señalada, la llegada de familiares no era interpretada como una acción de estrategia militar sino de reencuentro familiar. No obstante, la operación inicialmente fue descubierta y desmantelada casi totalmente por la inteligencia estadounidense. A pesar de la experiencia bélica norteamericana, la acción generó una falsa interpretación al creer haber truncado los planes norvietnamitas, significando en realidad el principio del ocaso de la intervención militar norteamericana en Vietnam.

El primer día de febrero, el ejército comunista tenía el control de la capital Saigón y poco después la ciudad de Huê también cayó en su poder.

La ofensiva fue indiscriminada afectando tanto a ciudades como a pequeñas poblaciones e incluso aldeas. En este punto el sentimiento antiguerra entre los ciudadanos estadounidenses se hizo aun mayor y significativo, causando incluso el rechazo social hacia los soldados que llegaban de vuelta del continente asiático.

28.- Celebración del Año Nuevo.

La respuesta del ejército norteamericano fue del todo desmedida, arrojando solo en Vietnam del Sur, más bombas de las que se utilizaron durante toda la Segunda Guerra Mundial, siendo calificada como una contraofensiva aniquiladora por el número de víctimas civiles que se causaron, hasta el punto que el oficial al mando Robert Shapen durante una declaración ante los periodistas dictó una frase para la historia:

«... tuvimos que destruir el pueblo para salvarlo... Nada de lo que vi en la guerra de Corea, es comparable en desolación y destrucción...»

¿Salvarlo...? no quedó nada para salvar, ni vidas, ni casas... La CIA[29] en un informe fechado posteriormente, reconocía que la capacidad ofensiva del FLN junto con el Vietcong, fue minusvalorada e inesperada y no fueron capaces de prever ni la intensidad, la coordinación y tampoco el ritmo de los ataques recibidos por el enemigo.

El hospital donde se encontraban nuestros sanitarios fue objeto del fuego de mortero causando dos heridos entre nuestros voluntarios. Para entonces, el reconocimiento a su dedicación neutral a la hora de atender enfermos y heridos era general hasta el punto que el Vietcong pidió a nuestros sanitarios, disculpas por el bombardeo indiscriminado que afectó al hospital.

La contribución española en la guerra del Vietnam, llegó a ser reconocida hasta el punto que la población local, puso a un puente el nombre de; Tây Ban Nha (España) Hodierna no existe por mor del progreso urbanístico.

En el año 1971, se dio por terminada la presencia de nuestros sanitarios en Gò Công. Una vez finalizada la misión humanitaria,

---

[29] Agencia Central de Inteligencia (*Central Intelligence Agency*)

todos sus componentes fueron agasajados tan solo a nivel cuartelario sin transcendencia en los medios de comunicación, salvo alguna nota camuflada entre las páginas interiores.

Todos los militares fueron condecorados con las siguientes distinciones:

Por parte de España:

-    Cruz del Mérito Militar con distintivo Rojo[30].

Por parte de los Estados Unidos de América:

-    Medalla de Campaña de Vietnam del Sur[31].

Por parte de Vietnam:

-    Medalla de Honor de Primera Clase de las FAS del Vietnam del Sur[32].

30.- Se conceden a aquellas personas que con valor, hayan realizado acciones, hechos o servicios eficaces en el transcurso de un conflicto armado o de operaciones militares que impliquen o puedan implicar el uso de fuerza armada, y que conlleven unas dotes militares o de mando significativas.

31.- La medalla de la Campaña de Vietnam es una condecoración extranjera que se instituyó en el año 1960 por la República de Vietnam del Sur con el fin de entregárselas a los miembros de las Fuerzas Armadas de EEUU, Australia, Nueva Zelanda y finalmente España.

32.- La Medalla de Honor de las Fuerzas Armadas de la República de Vietnam (Danh-Dự Bôi-Tinh) fue una condecoración militar de Vietnam del Sur que se creó por primera vez el 7 de enero de 1953. La medalla se otorgó en primera y segunda clase y alcanzó su punto máximo de otorgamiento. durante los años de la Guerra de Vietnam. La medalla fue también una de las medallas más comúnmente otorgadas a miembros de ejércitos extranjeros.

119

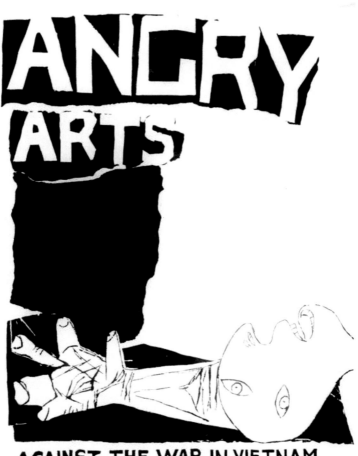

Ilustración 24 Cartel contra la guerra del Vietnam, pintado por Rudolf
Baranik. https://www.icp.org/browse/archive/objects/angry-arts-against-
the-war-in-vietnam

Componentes de las misiones

Ilustración 25 1º grupo en el hospital de Gò Công.
https://www.abc.es/espana/castilla-la-mancha/toledo/ciudad/conexion-
toledana-guerra-vietnam-20220718114945-nt.html

Primer reemplazo:

- Comandante; Argimiro García Granados (radiólogo)
- Capitán; José Linares Fernández (cirujano)
- Capitán; Francisco Faúndez Rodríguez (medicina general)
- Capitán; Luciano Rodríguez González (medicina general)
- Capitán; Manuel Vázquez Labourdette (administrador)
- Teniente; Gálvez (medicina general)
- Teniente; Manuel García Mejías (analista de laboratorio)
- Subteniente; José Bravo López-Baños (cirujano)
- Subteniente; Francisco Pérez (anestesista)
- Brigada; Ramón Gutiérrez Terán Suárez-Guanes (cirujano)
- Brigada; Joaquín Baz Sánchez (pediatra)
- Brigada; Juan Outón Barahona (cirujano)
- Brigada; Juan Pérez Gómez (medicina general)

Segundo reemplazo:

- Comandante; Manuel Fernández Sánchez (ORL)
- Capitán; Vicente Peláez Montalvo (estomatólogo)
- Capitán; Guillermo Antona Gómez (medicina interna)
- Teniente; Antonio Díaz Martínez (cirujano)
- Brigada; Antonio Pérez de Prado (practicante)
- Brigada; Carlos Barea Martínez (practicante)
- Brigada; José Bello Rivadulla (practicante)
- Brigada; Elías Arnal Bernal (practicante)
- Brigada Francisco Sousa Barragán (practicante)
- N.A.: Quedaron de reenganche el capitán Linares Fernández, el Subteniente; José Bravo López-Baños y el brigada; Gutiérrez Terán.

Tercer reemplazo:

- Comandante; Secundino Sáez García (medicina general)
- Capitán; José Rojas Jiménez (psiquiatra)
- Capitán; Francisco J. Pérez Capellán (pediatra)
- Brigada; Lorenzo Vellido Ortega (practicante)
- Brigada; Manuel Graña Francisco (practicante)
- Brigada; Bonifacio Heras Herrero (practicante)

Ilustración 26 Imposición de condecoraciones sanitarios españoles.
https://cascosdecombate.foroactivo.com/t67-espanoles-en-vietnam-
historia-cascos-y-uniformes

- N.A.: Quedaron de reenganche, los capitanes; Linares Fernández y Antona Gómez, el subteniente; Bravo López-Baños y los brigadas; Outón Barahona, Sousa Barragán y Gutiérrez Terán.

Ilustración 27 https://carlesvinyas.wordpress.com/tag/ho-chi-minh/

Ilustración 28 Imágenes de militares sanitarios españoles en Vietnam.
https://historiasdelahistoria.com/2013/05/13/el-medico-espanol-
condecorado-por-los-eeuu-en-la-guerra-de-vietnam

7ª Parte

Convenio de paz en París (27 de enero de 1973)

La firma del convenio fue producto de una dilatada negociación de más de cuatro años de conversaciones entre las partes beligerantes celebradas generalmente en París[33.] Existe constancia de más de doscientas sesiones abiertas donde no se alcanzaron acuerdos relevantes, múltiples conversaciones al más alto nivel, e incluso se conocen al menos veinticuatro reuniones secretas, —que no lo serían desde el momento en el que se desvelaron por alguna de las partes—, se ofrecieron cientos de conferencias de prensa y entrevistas todo ello después de incontables manifestaciones en contra de la intervención militar norteamericana.

Finalmente el día 27 de enero del año 1973 reunidos en París como principales protagonistas el líder del Partido Comunista de Vietnam; Lê Đức Thọ y el consejero del Departamento de Estado de los Estados Unidos de América; Henry Kissinger, acompañados además por parte norteamericana de: Henry Cabot Lodge Jr., senador y embajador de Vietnam del Sur hasta el año 1968; William P Rogers como Secretario de Estado de los EE.UU., y por la delegación vietnamita, su líder: Charles Trần Văn Lắm, ministro de Asuntos Exteriores de la República de Vietnam[34;] Nguyễn[35] Thị Bình, ministra de Asuntos Exteriores de la República de Vietnam; Nguyễn Duy Trinh, ministro de Relaciones Exteriores de la República Democrática de Vietnam[36;] Thích[37] Nhất Hạnh, monje

---

33.- Toda la documentación relativa, se conserva y exhibe en los archivos del Ministerio de relaciones Exteriores y en el museo de Historia de Vietnam, en los archivos Nacionales de Estados Unidos y Rusia respectivamente.
34.- Vietnam del Sur
35.- Nombre principal de la familia
36.- Vietnam del Norte
37.- En la tradición budista zen, se adopta el termino como nombre principal de familia

budista, activista por la paz desde el principio de esta guerra cainita.

Todos ellos reunidos solemnemente, propusieron y firmaron las bases sobre el respeto de los derechos nacionales fundamentales de todos los vietnamitas, así como el derecho de autodeterminación de la República de Vietnam, contribuyendo a consolidar la paz no solo en Asia, también en el resto del mundo.

No puede pasar desapercibido lo estipulado en el artículo 1º del Capítulo Primero del Convenio:

- **Los Estados Unidos, la URSS, China y el resto de los países, respetarán la independencia, soberanía, unidad e integridad territorial de Vietnam, de acuerdo a lo firmado en los Acuerdos de Ginebra sobre Vietnam en 1954.**

En la longeva historia del planeta, puede ser difícil entender lo acordado en este artículo del capítulo primero. Hicieron falta casi veinte años para que los países involucrados directamente en la guerra fratricida del Vietnam, aquellos que lideraban los dos bloques representativos del «Orden Mundial» tras la Segunda Guerra Mundial; EE.UU., U.R.S.S., China, cayeron en la cuenta que tras los miles de muertos —incontables—, millones de heridos y tullidos, devastación de cientos de aldeas y miles de millones de riqueza malgastados en armamento, munición y ensayos de armas químicas, no sirvieron para nada útil ya que se dieron cuenta que lo pactado en el año 1954 era lo conveniente para los ciudadanos vietnamitas que sobrevivieron al desastre de sus vidas y entorno.

El inolvidable Groucho Marx, entre sus muchas frases, dijo:

... «La política es el arte de buscar problemas, encontrarlos, hacer un diagnóstico falso y aplicar después los remedios equivocados...».

Y aún así después, cada parte firmante daba su personal interpretación sobre los puntos firmados no dando cumplimiento a los plazos establecidos, así como tampoco fueron cumplidos en su totalidad.

¿Intereses políticos, económicos, ególatras, espurios...?

Hasta el año 1986, los vietnamitas no fueron realmente soberanos de su destino. En la actualidad Vietnam es un único país, unidos el norte y el sur, sin que el Paralelo 17 signifique una frontera física o política, bajo un régimen comunista abierto al mundo económico, permitiendo la coexistencia de todas sus etnias y creencias.

A pesar de la cercanía geográfica, ni siquiera la presión política de China ha podido influenciar al gobierno vietnamita a quienes finalmente el mundo político ha dejado de interferir en su particular estilo de vida adaptado simplemente a sus sentimientos y características.

Los vietnamitas tienen su propia idiosincrasia y no necesitan que ninguna potencia les imponga ideología alguna como tampoco la doctrina a seguir o a qué «Ser» superior venerar. Simplemente quieren ser libres en su presente y futuro con el perpetuo recuerdo a sus ascendientes.

Como dijo el Reverendo Padre fray Manuel de Rivas, pero el afán por implementar y experimentar nuevas armas de matar, de destruir, de contaminar..., para alcanzar más poder en el mundo, puede más que el respeto a la vida humana, animal y medioambiental.

La inversión en conflictos bélicos significa un avance para la industria armamentística de las potencias económicas en beneficio del poder político en contra de la vida de miles de seres humanos generalmente a merced de sátrapas que viven en territorios que estas mismas potencias han señalado como zonas de «ensayos» armamentísticos de cualquier clase, incluyendo las químicas, nucleares y las que en un futuro se descubran como más eficaces para la destrucción.

En 1976, Vietnam se unificó bajo el control del gobierno de Vietnam del Norte, denominándose República Socialista de Vietnam, gobernada bajo régimen comunista.

En 1986 el Partido Comunista de Vietnam aplicó reformas de libre mercado conocidas como; Đổi Mới (Renovación) La dirección del estado permaneció inamovible, pero autorizó la propiedad privada en los campos de cultivo y la creación de empresas, así mismo abrió el mercado financiero a la inversión extranjera. La economía de Vietnam mejoró considerablemente consiguiendo un rápido crecimiento interno.

En lo referente a los Derechos Humanos, Vietnam se avino a firmar y mantiene su pertenencia en los principales instrumentos internacionales creados para tal fin, en los siguientes Estatus[38:]

CESCR; CCPR; CERD; CEDAW; CAT; CRC; MWC y CRPD

---

38 Para conocer el significado de los acrónimos, buscarlos en internet.

Ilustración 29 Lê Dúc Tho junto a Henry Kissinger.
https://es.vietnamplus.vn/la-conferencia-de-paris-negociaciones-
historicas/171706.vnp

Epílogo

Debo aclarar, que tras el análisis del leedor, puede éste recelar sobre mi imparcialidad al juzgar que tan solo hago crítica a la intervención de los EE.UU. No es así, aunque todo lo escrito refiere el rigor que la historia merece y a pesar de lo escueto y resumido..., y con la máxima ataraxia, no es para menos. Pero ello se debe a que del apoyo prestado al Vietnam del Norte por parte de la U.R.S.S. y China principalmente, a penas he sido capaz de encontrar datos imparciales y fidedignos que me atreviera a trasladar a la presente narrativa. No dudo que el comportamiento militar de ambos aliados de Vietnam del Norte fuera tanto o más deletéreo que el desplegado por los EE.UU., y si ello no se ajusta a la realidad, gustosamente me retractaré y disculparé de cualquier ucronía detectada.

Precisado lo anterior, dos son las motivaciones de haberme planteado escribir la presente narrativa histórica:

En primer lugar dar a conocer —más si cabe— y poner en valor, la longeva relación existente entre dos etnias tan diferentes como son la española y la vietnamita. Motivo por el cual refiero con ardor, la cronología de nuestra presencia allende del continente en el que la península Ibérica es su punta de tierra del Atlántico Norte.

En segundo lugar, cuando pensábamos que nuestra última misión en la lejana Cochinchina fue la heroica presencia de nuestros militares sanitarios, errábamos en la suposición. Años después, volvemos a ser parte de la sociedad vietnamita. Hodierna gracias a esas decenas de parejas de mujeres y hombres que deciden ser padres prohijando a aquellas criaturas vietnamitas que son abandonadas ante las puertas de las casas de cuna u hospitales —en el mejor de los casos.

Pongo en valor el largo, tortuoso —en ocasiones crítico— camino que han de recorrer, pleno de incontables protocolos que deben cumplir, agravados por unos costes que en ocasiones obligan a

141

endeudarse a los benefactores y que culmina finalmente con la inenarrable alegría que supone ser padres de unas adorables criaturas, a las que a partir de ese momento la vida les cambia radicalmente, afrontando un sinfín de valores y circunstancias que por el brillo de sus ojos, se denota sorpresa ante lo —hasta ese momento— desconocido.

Por si sirve de algo y en mi modesta opinión, estas personas putativas debieran contar con más apoyo informativo sobre los pormenores que se pueden y/o van a encontrar durante la laboriosa misión que se han encomendado así mismo, en bien de lo que sin duda serán de por vida sus hijos.

El Autor

Madre no es sólo aquella mujer que da a luz, como padre, tampoco es sólo aquel hombre que engendra.

Ser padres es velar por el bien de sus hijos, criar, educar y vigilar por su seguridad en todo momento... allende de los años.

El sentimiento de la madre y el padre, no deja jamás que su hijo, comparta o no su ADN, quede desamparado a pesar que en ocasiones, los hijos despliegan una gran desafección hacia los que han sido sus progenitores...

Luis Torres Píñar

Imágenes inveteradas del Vietnam

Ilustración 30 Vista plana del globo terráqueo.
https://webs.ucm.es/BUCM/foa/55341.php

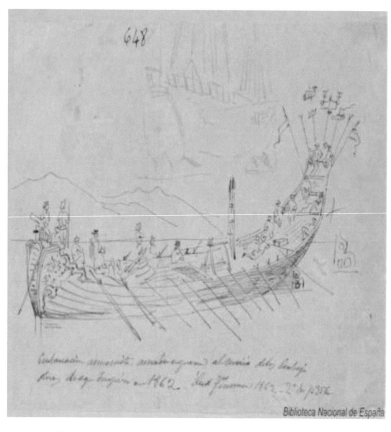

Ilustración 31 Embarcación vietnamita utilizada en el siglo XIX. Imagen
tomada de BDH. Autor
Monleón y Torres, Rafael (1843-1900)

148

Ilustración 32 Grupo de mujeres católicas anamitas. Imagen tomada de
BDH-PID: bdh0000228819

Ilustración 33 Mujeres anamitas tocando el chà y tocando el Dan Tranh.
Imagen tomada de BDH-DIP: bdh0000228816

Ilustración 34 Solado anamita. Imagen tomada de BDH-DIP: bdh0000228806

Ilustración 35 Retrato de un vendedor anamita. Tomada de BDH-
DIPbdh0000228822

Calendario y zodíaco vietnamita

Los signos del zodiaco vietnamita entre 2004 y 2044

Año	animal asociado
22 de enero de 2004 - 08 de febrero de 2005	Mono
09 de febrero de 2005 - 28 de enero de 2006	Gallo
29 de enero de 2006 - 17 de febrero de 2007	Perro
18 de febrero de 2007 - 06 de febrero de 2008	Cerdo
07 febrero 2008 - 25 enero 2009	Ratón
26 de enero de 2009 – 13 de febrero de 2010	Búfalo
14 de febrero de 2010 - 02 de febrero de 2011	Tigre
03 de febrero de 2011 - 22 de enero de 2012	Gato
23 de enero de 2012 - 09 de febrero de 2013	Continuar
10 de febrero de 2013 – 30 de enero de 2014	Serpiente
31 de enero de 2014 – 18 de febrero de 2015	Caballo
19 febrero 2015 – 07 febrero 2016	Cabra
08 febrero 2016 – 27 enero 2017	Mono
28 enero 2017 – 15 febrero 2018	Gallo
16 febrero 2018 – 04 febrero 2019	Perro
05 febrero 2019 – 24 enero 2020	Cerdo
25 enero 2020 – 11 febrero 2021	Ratón
12 febrero 2021 – 31 enero 2022	Búfalo
01 febrero 2022 – 21 enero 2023	Tigre

155

Índice de ilustraciones

Bibliografía consultada

-https://enfeps.blogspot.com/2015/12/militares-sanitarios-espanoles-en.html

-HAOL, Núm. 11 (Otoño, 2006), 175-181 ISSN 1696-2060 © *Historia*

- https://www.elconfidencial.com/cultura/2018-01-30/archivos-del-pentafono-ofensiva-del-tet_1513118/

- https://www.bbc.com/mundo/noticias-internacional-42925604

-https://www.sinpermiso.info/textos/el-68-se-ilumino-con-la-ofensiva-del-tet-en-vietnam

file:///C:/Users/Usuario/Desktop/Carpetas/2Mis%20libros/11%20Vietnan/Datos/guerra-de-vietnam-ofensiva-del-tet.pdf

https://jdiaz474.wordpress.com/2021/02/13/de-espanoles-en-go-cong/

https://rebelión.org/vietnam-la-guerra-que-eeuu-perdio/

http://www.historiasiglo20.org/TEXT/vietnam1973.htm

https://es.vietnamplus.vn/la-conferencia-de-paris-negociaciones-historicas/171706.vnp

Archivo del bibliófilo filipino W.E.Retana (Tomo primero)

Boletín Oficial de las Cortes Españolas (5 de octubre 1953)

Boletín Oficial de las Cortes Españolas (30 de noviembre de 1953)

Cuestión de Cochinchina, por el Tte. Coronel Don Serafín Olabe.

Cochinchina y el Tonkín (España y Francia) por Augusto Llacayo.

Dialnet – España y las Naciones Unidas, de José Sebastián de Erice.

Reseña histórica de la Expedición de Cochinchina, del coronel Carlos Palanca Gutiérrez (Biblioteca Digital Hispánica.

Idea del Imperio de Annam o de los reinos unidos de Tunquin y Cochinchina del R.P. Fr. Manuel de Rivas. Biblioteca Digital Hispánica.

La ofensiva del Tet, de Alan Woods.

Expedición Militar al Imperio de Annam, de Mª del Pilar Cuesta Domingo.
Revista española de Defensa de octubre de 2017 (red-343-Vietnam)
https://es.wikipedia.org/wiki/Refer%C3%A9ndum_del_Estado_de_Vietnam_de_1955#:~:text=El%20refer%C3%A9ndum%20del%20Estado%20de,conocida%20como%20Vietnam%20del%20Sur.

Otros libros del autor...

WWW.LUISTORRESPI.ES

Milton Keynes UK
Ingram Content Group UK Ltd.
UKRC032043130724
445367UK00009B/40